U0126199

都柏林核心集與圖書著錄

吳政叡著

臺灣 學生書局 印行

自 序

本書《都柏林核心集與圖書著錄》是作者所寫作有關都柏林核心集的第四本專書，主要是探討如何來架構新的圖書著錄舞台於都柏林核心集之上。

主要的著眼點在於網頁與書籍的整合處理，由於都柏林核心集原本就是設計來處理類似網頁的網路資源，其網頁處理的能力，自是無庸置疑。因此本書的探討重點，是在都柏林核心集對圖書館傳統的館藏重心——圖書的處理能力。

在本書中，作者嘗試從編目規則、機讀編目格式、機讀權威記錄格式等三方面，來探討架構新圖書著錄舞台於都柏林核心集時，所可能會面臨的課題，並且介紹個人在編目規則手冊、機讀編目格式、機讀權威記錄格式等三方面的研究成果。因為從圖書館技術服務和資料描述的角度來看，編目規則手冊、機讀編目格式、與機讀權威記錄格式，可以說是三個主要的圖書處理支柱和工具。

編目規則手冊不但是圖書館員資料描述和著錄的主要依據，也蘊含圖書館界千百年來對書籍處理的經驗。機讀編目格式（MARC）是目前圖書館自動化處理的基礎，也是系統所使用的資料格式。機讀權威記錄格式長久以來在書目資料的品質控制和檢索的輔助上，佔有非常重要的地位。

現在將本書的章節介紹如下：第一章「圖書著錄與都柏林核心

集」，除了圖書著錄與都柏林核心集的相關簡介外，主要重點在闡述圖書與網頁合併處理的理念、可行性、與實務考量事項。最後，作者將近年來從理論和實務層面，就編目規則、機讀格式、權威記錄這三方面，在都柏林核心集上的移植成果彙整介紹，做為本書後面其他章節的開場白與指引，同時也可以當作本書與另外兩本專著——《機讀編目格式在都柏林核心集的應用探討》與《都柏林核心集在UNIMARC 和機讀權威記錄格式的應用探討》，以及其他相關發表論文的統合指引。

第二章「中國編目規則的圖書著錄與都柏林核心集」，主要是從編目規則的角度，來探討如何應用都柏林核心集於圖書著錄的工作。首先，作者扼要闡釋數位時代的著錄需求，另外也就編目規則和機讀格式的互動現況加以陳述，以做為本章第四節「重要課題探討與分析」的前引。

第二章的另外一個重點，是《中國編目規則》圖書著錄部份條文的改寫對照表。這個對照表可以說是新圖書著錄舞台的第三根支柱，搭配《機讀編目格式在都柏林核心集的應用探討》所架設的「機讀編目格式」支柱，與在《都柏林核心集在 UNIMARC 和機讀權威記錄格式的應用探討》架設的「權威記錄」支柱，共同架構了一個新的圖書著錄舞台於都柏林核心集之上，至此新的圖書著錄環境雛型已然成形。

本書除了延續自《機讀編目格式在都柏林核心集的應用探討》與《都柏林核心集在 UNIMARC 和機讀權威記錄格式的應用探討》二書的舞台架設工作外，另外一個重點在補充前二書的分析與解釋不足的缺失。因此作者將前二書中探討的「中國機讀編目格式」和「中國機

讀權威記錄格式」對照表，分別在本書的第三章「中國機讀編目格式與都柏林核心集」，與第四章「中國機讀權威記錄格式與都柏林核心集」中，從其他角度來分析。此外，更特別就現有機讀格式的主要缺失：檢索點、資料重複、欄號內資料過於龐雜等課題，分別加以深入的剖析和探討。有關第三章與第四章的章節內容，請參閱第一章第四節中的說明。

　　第五章「結語與資料著錄的未來趨勢」，乃是作者從理論探討與實際系統建置個案（梵諦岡傳信大學中文館藏系統約三千筆記錄和施合鄭民俗文化基金會館藏約五千筆記錄）中，個人所歸納出的心得與體察出的時代趨勢。首先，從數量、資料涵蓋面、處理方式、使用元資料等四個角度，作者分析了書籍與網頁的可能合理之著錄詳簡趨勢。

　　此外，作者也從實際系統建置中，所採用之「著錄的模擬介面」作法，衍生出「資料著錄與資料格式分離」（SOCAF）的概念，並且以電腦學科中資料庫與網路領域的發展實例，來闡揚其理念與重要性。

　　本書的完成，代表作者在此議題上，一個階段性任務的達成。在此過程中，作者深刻體會到「知識是眾人心血，世代不斷累積的結果」，個人能在不算長的時間內，快速完成編目規則手冊、機讀編目格式、機讀權威記錄格式等三方面的轉換對照表，實有賴於這三者本身製作的嚴謹與完善，而這正是許多圖書館前輩與同儕，數十年來在教學、研究、與工作崗位上，孜孜不倦的努力成果。

　　翻閱《中國編目規則》和《中國機讀編目格式》的序文，可以清楚看到自民國六十九年至今的發展歷程，三十年來參與的人數有數十

人，由於參與人數的眾多，作者雖想一一列舉以表敬意，但恐因名單過於冗長，祇好遺憾的省略而不在此列出。不過細看這些名單，可以發現絕大多數的人，仍然活躍於圖書館領域，在個自的崗位上努力，領導著圖書館的發展，以中國編目規則兩任主持人——藍乾章教授與吳瑠璃教授，以及中國機讀編目格式的歷任主持人——李德竹教授、胡歐蘭教授、與吳明德教授，其中除了藍乾章教授不幸逝世外，其餘人仍然在崗位上領導著圖書館領域的發展，這種努力不懈的工作態度，實教人欽佩。

最後，作者雖然竭盡心力來撰寫此書，然而一己的能力畢竟有限，疏漏在所難免，尚祈圖書館界的前輩和同業不吝指正。

吳政叡 謹識

民國 89 年 3 月

於輔仁大學圖書資訊系

都柏林核心集與圖書著錄

目　次

圖表目次

第一章　圖書著錄與都柏林核心集

　　本章除了圖書著錄與都柏林核心集的相關簡介外，主要重點在闡述圖書與網頁合併處理的理念、可行性、與實務考量事項。此外，作者也將近年來從理論和實務層面，就編目規則、機讀格式、與權威記錄這三方面，在都柏林核心集上的移植成果加以彙整介紹，做為本書後面其他章節的開場白與指引。

第一節　圖書著錄簡介

　　圖書館的活動，一般可分為兩大類：讀者服務與技術服務，後者雖然並不經常直接面對讀者，但是技術服務卻是讀者服務活動進行的基礎。

　　至於技術服務的定義，Gorman 在《Technical Services Today and Tomorrow》一書中，定義為❶

---

❶　M. Gorman, "Technical Services Today," in *Technical Services Today and Tomorrow*, (Englewood, CO: Libraries Unlimited, 1990), p. 2.

All the tasks carried on in a library that are concerned with the processing of library materials in order to make them accessible to the users of the library.

王梅玲在「大學圖書館技術服務的組織重整」一文中則定義為❷

技術服務係關於圖書資訊的徵集、組織與準備工作，以提供讀者利用，支援讀者服務的圖書館服務。其範圍涵蓋採訪、編目、資料加工處理、典藏、圖書資料保存、與館藏發展等。

由以上的定義，不難看出技術服務是在方便和協助讀者來利用圖書館的資料。

同時上述定義中的各種技術服務活動，諸如採訪、編目、典藏與館藏發展等，事實上都須依賴「圖書著錄」的產品——目錄（或書目資料）才得以進行，因此「目錄」可以說是貫穿所有技術服務的中心支柱，也是圖書館提供給讀者來利用其資料的最主要工具。

圖書著錄，是將書籍的內容和形式特徵，按既定的編目規則記錄起來，以方便讀者來利用或是圖書館員來管理。❸圖書著錄包含圖書分類與編目❹❺，前者屬於主題編目（Subject Cataloging）的範疇，後

---

❷ 王梅玲，「大學圖書館技術服務的組織重整」，大學圖書館 1 卷 2 期（民 86 年 4 月），頁 31。

❸ 黃淵泉，中文圖書分類編目學（臺北市：學生書局，民 85 年 4 月），頁 55。

❹ 倪寶坤，圖書館編目學（臺北市：臺灣中華書局，民 60 年 5 月），頁 99-101。

❺ 熊逸民，中文圖書分類編目實務，再版（臺北市：熊逸民發行，民 71 年 5 月），頁 104-106。

者屬於記述編目（Descriptive Cataloging）的範疇。❻現在因爲擴展到其他各式各樣的資料類型，而改稱爲資訊組織❼，不過其基本的精神和宗旨是一致的。

　　與著錄密切相關的名詞，有款目（Entry）、標目（Heading）、和編目規則（Cataloging Rule），現依據黃淵泉《中文圖書分類編目學》一書中的定義分述如下：❽

　　⑴款目：記載在目錄上的資料項目。

　　⑵標目：目錄卡片上，做爲排列和檢索標準的起首款目。

　　⑶編目規則：著錄時所依據的規則，如中國編目規則和AACR2。

　　此外，一般圖書著錄時的項目，可分爲三大類——基本著錄項目、特殊著錄項目、與圖書館業務註記，分別含有以下的資料項目：❾

　　⑴基本著錄項目：題名項、著者項、版本項、出版項、稽核項、叢書項、附註項、標準號碼及其他必要記載項。

　　⑵特殊著錄項目：分類號、追尋項、分析款目、館藏記載、出處項。

　　⑶圖書館業務註記：索書號、登錄號、典藏地點。

---

❻　藍乾章，「圖書館的技術服務——一般資料的組織與整理」，在圖書館學，中國圖書館學會出版委員會編（臺北市：學生書局，民63年3月），頁288。

❼　陳昭珍，「電子資訊的組織模式」，圖書館學刊12期（民86年12月），頁163-164。

❽　同❸，頁55-56。

❾　同❸，頁56-59。

第二節 都柏林核心集簡介

都柏林核心集爲資源描述性元資料的一種，而元資料（Metadata）最基本的定義是 "data about data" ❿，可直譯爲描述資料的資料，其定義和內涵則各家說法不同，以下列舉數例如下：

L. Dempsey 和 R. Heery 定義爲⓫

> 描述資料屬性的資料，用來支持如指示儲存位置、資源尋找、文件紀錄、評價、過濾等功能。

作者認爲元資料是⓬

> 用來揭示各類型電子文件（或資源）的內容和其他特性，以協助對資料的處理和檢索，其典型的作業環境是電腦網路的作業環境。

從圖書館學的角度來看，元資料的部分功能與目錄類似，是在描述收藏資料的內容或特色，進而達成協助資料檢索的目的。S. Weibel 等進一步依照欄位的有無和複雜程度，將此種資源描述性元資料分成

---

❿ E.P. Shelley and B.D. Johnson, "Metadata: Concepts and Models," in *Proceedings of the Third National Conference on the Management of Geoscience Information and Data* (Adelaide, Australia: Australian Mineral Foundation, 1995), pp. 1-5.

⓫ L. Dempsey and R. Heery, "An Overview of Resource Description Issues," March 1997, <http://www.ukoln.ac.uk/metadata/DESIRE/overview/rev_01.htm>, p. 1.

⓬ 吳政叡，「元資料實驗系統和都柏林核心集的發展趨勢」，國立中央圖書館臺灣分館館刊 4 卷 2 期（民 86 年 6 月），頁 12。

下面五種：**⓭**

　㈠全文索引化──主要使用電腦來製作索引。

　㈡無欄位名詞集──由一群未結構化的（即無欄位屬性）的名詞
　　組成，例如由圖書館員所給的關鍵字。

　㈢基本欄位架構──由少量有明確意義的基本欄位組成，例如無
　　修飾詞的都柏林核心集。

　㈣修飾詞欄位架構──有修飾詞來進一步規範一群的基本欄位，
　　例如使用修飾詞的都柏林核心集。

　㈤複雜結構──欄位架構複雜完整，例如 MARC 和 TEI（Text
　　Encoding Initiative）等。

　　由以上對資源描述性元資料的分類架構，可以清楚看出都柏林核
心集的繁簡程度，是介於 MARC 與關鍵字（或全文檢索的索引）之
間，因此既無 MARC 過於繁瑣的缺失，也可克服全文檢索的索引在無
欄位區分時，所造成在資料管理和檢索上的低效能。因此都柏林核心
集可以說是非常適時的填補了這個缺口，使人們在圖書館所習用的
MARC，和搜尋引擎所應用的全文索引之間，有另外一個可替代的選
擇。

　　都柏林核心集誕生自 1995 年 3 月由 OCLC 和 NCSA 所聯合贊助
的研討會，到 1999 年為止，在短短的四年間共計召開過七次研討會，
發展的至為迅速。扼要來說，都柏林核心集的基本 15 個欄位形式，在
第三次研討會後即已完備固定。修飾詞的發展則始自第四次研討會，

⓭　S. Weibel, R. Iannella, and W. Cathro, "The 4th Dublin Core Metadata Workshop
　　Report," June 1997, <http://www.dlib.org/dlib/june97/metadata/06weibel.html>, p. 3.

但在最近一次召開的第七次研討會中，又做過一番大變革，詳細請參閱下面有關修飾詞部分的介紹。其它有關都柏林核心集的發展過程，請讀者自行參閱作者的《機讀編目格式在都柏林核心集的應用探討》一書。❹

　　由於都柏林核心集自始即將其處理對象鎖定在「類文件物件」（document-like objects，簡稱 DLO），主要是與會者認為文字型態的電子檔案，例如網頁，仍是網路資源上的大宗。那何謂 DLO 呢？簡言之，是可用類似描述傳統印刷文字媒體方式，加以描述的電子檔案。❺因此在都柏林核心集的 15 個基本欄位中，有許多是圖書館在圖書著錄時，常常使用到的重要欄位，例如題名（Title）、著者（Creator）、主題和關鍵詞（Subject）、出版者（Publisher）、與出版日期（Date）等，這也是都柏林核心集可以同時用來處理書籍和網頁的一個重要因素。

　　都柏林核心集的 15 個基本欄位（或項目），自 1997 年 10 月以來，其欄位數目❻、欄位名稱、與欄位內涵即無變化，然而有些欄位

---

❹　吳政叡，機讀編目格式在都柏林核心集的應用探討（臺北市：學生書局，民 87 年 12 月），頁 26-43。

❺　吳政叡，「三個元資料格式的比較分析」，中國圖書館學會會報 57 期（民 85 年 12 月），頁 39。

❻　1998 年 12 月在第六次研討會前，曾經有人提議要合併著者（Creator）、出版者（Publisher）、和其他參與者（Contributors）等三個欄位成一個欄位，但是在該次研討會中未獲採納。另外也一直有聲浪要檢討來源（Source）與關連（Relation）這二個欄位的相互關係與定位，甚至合併的可能性，不過也未得到大多數人的響應。目前由於基本欄位已進入標準化的過程，其文件編號為 RFC 2413，同時都柏林核心集也因在國際間廣獲認同，而在各國均有很多實驗系統在建造或運作中。因此為避免增加無謂的困擾，阻礙了都柏林核心集目前的發展盛況，大多數人傾向維持 15 個欄位的現況。

的內容，到底該含有那些值，則尚在研討或增減中，如關連（Relation）和資源類型（Type）等。以下僅列出 15 個欄位的名稱和內涵，有關欄位的詳細闡釋、例子、與著錄要點，請參閱作者《都柏林核心集在 UNIMARC 和機讀權威紀錄格式的應用探討》一書中的第一章第四節「基本欄位」。**⓱**

　　㈠題名（Title）：作品題名或名稱。

　　㈡著者（Creator）：作品的創作者或組織。

　　㈢主題和關鍵詞（Subject）：作品的主題和關鍵字（詞）。

　　㈣簡述（Description）：文件的摘要或影像資源的內容敘述。

　　㈤出版者（Publisher）：負責發行作品的組織。

　　㈥其他參與者（Contributor）：除了著者外，對作品創作有貢獻的其他相關人士或組織。〔註：如書中插圖的製作者。〕

　　㈦出版日期（Date）：作品公開發表的日期。

　　㈧資源類型（Type）：作品的類型或所屬的抽象範疇，例如網頁、小說、詩、技術報告、字典等。

　　㈨資料格式（Format）：資訊的實體形式或者是數位特徵，也用來告知檢索者在使用此作品時，所須的電腦軟體和硬體設備。如果是電子檔案，建議使用 MIME 格式的表示法。

　　㈩資源識別代號（Identifier）：字串或號碼可用來唯一標示此作品，例如 URN、URL、ISSN、ISBN 等。

　　㈢來源（Source）：資源的衍生來源，例如同一作品的不同媒體

⓱　吳政叡，都柏林核心集在 UNIMARC 和機讀權威紀錄格式的應用探討（臺北市：學生書局，民 88 年 10 月），頁 16-25。

版本，或者是翻譯作品的來源等。

㈪語言（Language）：作品本身所使用的語言，建議遵循 RFC 1766 的規定。

㈫關連（Relation）：與其他作品（不同內容範疇）的關連，或所屬的系列和檔案庫。

㈬涵蓋時空（Coverage）：作品所涵蓋的時期和地理區域。

㈭版權規範（Rights）：作品版權聲明和使用規範。

都柏林核心集的設計特色在於精簡與彈性。精簡反映在其衹有 15 個基本欄位，因此能達到網頁著錄時，「作者著錄」方式下最少負擔的要求，這是其英文名稱中「core」和中文名稱之「核心集」的由來。

在具體的設計原則上，主要採用內在本質原則、易擴展原則、無必須項原則、可重覆原則、和可修飾原則等五項原則。有關這五項原則的詳細闡釋，請參考作者「從都柏林核心集看未來資料描述格式的發展趨勢」一文中的介紹。⓲簡要來說，「內在本質原則」和「無必須項原則」是呼應減輕網頁著錄者負擔的要求，而「易擴展原則」與「可修飾原則」則可以增加都柏林核心集的彈性，進一步擴展其應用的領域。

爲了能同時達成擴大都柏林核心集的應用範圍，與繼續保留其精簡的特色，因此在第四次研討會中，創立了「坎培拉修飾詞」，正式收納了三種修飾詞——語言修飾詞(Lang)、架構修飾詞(Scheme)、次

⓲ 吳政叡，「從都柏林核心集看未來資料描述格式的發展趨勢」，圖書館學刊 26 期（民 86 年 6 月），頁 11-18。

項目修飾詞（Subelement）。❶❾

　　第五次研討會後，為了配合一些新技術的發展，特別是「資源描述架構」（Resource Description Framework，簡稱 RDF）❷⓿和「延伸式標示語言」（eXtensible Markup Language，簡稱 XML）❷❶的興起和發展成熟，都柏林核心集在修飾詞的實作上，產生了另外一個新的模型。有關都柏林核心集修飾詞的演變、內涵、與新舊兩種模型的差異，請參閱作者《都柏林核心集在 UNIMARC 和機讀權威紀錄格式的應用探討》一書，第一章第五節「修飾詞」和第五章第一節「DC/RDF 模型」中的介紹。❷❷

第三節　圖書與網頁合併處理

　　從人們資料檢索的工具來源來分析，在 1990 年以前，主要來源有二：一是圖書館製作的書目資料，一是商業公司搜集整理的各種資料庫。從 1990 年以後，全球資訊網（WWW）快速的興起，成為第三個人們資料檢索的來源，並且已逐漸成為最重要和主要的來源。

　　圖書館屬於社會的公共機構之一，其所製作的書目資料，自然也屬於社會的公共財之一，是開放給全人類自由使用，這種公共財與開

---

❶❾　次項目修飾詞（Subelement）在第四次研討會中原稱為類別修飾詞（Type），但是在第五次研討會時，又改稱為次項目修飾詞。

❷⓿　O. Lassila and R. R. Swick, "Resource Description Framework (RDF) Model and Syntax Specification," 22 Feb. 1999, <http://www.w3.org/TR/1999/REC-rdf-syntax-19990222>.

❷❶　T. Bray, J. Paoli, and C. M. Sperberg-McQueen, "Extensible Markup Language (XML) 1.0," 10 Feb. 1998, <http://www.w3.org/TR/REC-xml>.

❷❷　同❶❼頁 25-28 與 238-245。

放自由使用的特質，在資訊傳播和交流頻繁的時代，基於書目資料流通的需要，使得全球圖書館界發展和採用一種共通的處理模式，其主要的支柱有三：編目規則、機讀格式、與權威記錄。編目規則是書籍（或資料）著錄的主要依據，機讀格式是利用電腦來處理書目資料的依據，權威記錄則主要是用來分辨同物異名和同名異物，因此有匯集資料或協助找尋相關資料的作用。㉓

相反的，在資料庫廠商方面，商業公司屬於私人企業，有謀求利潤以維持企業繼續生存的需求，因此其資料庫是付費和封閉性質。同時為謀求利潤的最大化，以避免單純的價格競爭，必須強調產品的差異性，因此其處理模式，本質上是差異化取向。由此觀之，不難體會到為何每家資料庫廠商的資料呈現方式皆大異其趣。

全球資訊網（WWW 或 Web）是起源於 CERN 中的一個增進高能物理學者間互動的實驗計畫㉔，透過親善的多媒體使用介面、易寫作的超文件標示語言（HyperText Markup Language，簡稱 HTML）格式、和使用超連結（hyperlink）來串接多個不同文件，在短時間內形成一股風潮席捲全球，不但使網際網路走入一般人的日常生活，也無形中改變人們搜尋資料的習慣和期望。

Web 的網頁，雖然如一般的著作，是受到著作權的保護，並非公共財。但是由於網頁主要是透過網際網路來散播和流通，再加上網際網路上歷年來所維持的學術自由散播之傳統，因此網頁的使用方式，

㉓ 其他與書籍（或資料）著錄相關的工具，如分類表和標題表，是直接針對知識體系，這些方面由於各國的歷史與文化上的差異，就頗為分歧。

㉔ T. Berners-Lee, L. Masinter, and M. McCahill, "Uniform Resource Locators (URL)," 1994, <ftp://ftp.ccu.edu.tw/pub3/gopher.apnic.net/internet/rfc/1700/rfc1738.txt>, p. 1.

有如一般圖書館所典藏的著作，基本上是自由流通，具有公共財的特色。

　　就網頁的處理模式來看，第一個大規模的應用工具是搜尋引擎（Search Engine），其處理方式是透過自動抓取程式在網際網路上抓取網頁，然後使用全文檢索的技術，以自動拆字（或詞）做索引的方式來建立其資料庫，作為檢索的基礎。此種運作方式固然可滿足部分的檢索需求，但是無法有效的過濾資料是其最大的弊病，此項缺失隨著網頁數量的急遽膨脹而快速惡化。

　　搜尋引擎的這個窘態，使研究者意識到，為了資料檢索和管理的需要，對資料的適當描述仍是必須的，雖然今日電腦的運算速度驚人，但是有效率的檢索，仍是一個重要的問題亟待解決，換言之，某種形態的電子目錄有其必要性，而這正是元資料興起的主因。由於網頁的數量驚人，其資料描述的工作，須符合「作者著錄」的原則，因此無法使用太複雜的格式如機讀編目格式，而須應用簡單的格式如都柏林核心集。

　　既然網頁一如圖書館所典藏的資料，也須要製作目錄來加以描述，而圖書館作為資料的加工處理與傳播流通機構之一，自然必須追隨民眾的需求，將網頁納入為其處理的對象之一，否則一旦喪失這個主要的資料來源，圖書館繼續存在的根基，將受到致命的威脅。

　　如果圖書館須將網頁納入處理，而現有的書籍也不會在可預見的將來全部消失[25]，那如何來處理這兩種性質不同的資料類型，便成為

---

[25]　吳明德教授在「大學圖書館員角色的省思」一文中，談及大學圖書館館藏經費問題時，即指出由於未來館藏需要同時有印刷資料與電子資料，來服務不同喜好的讀者，使得大學圖書館經費緊縮的問題更為嚴重。吳明德，「大學圖書館員角色的省思」，大學圖書館1卷1期（民86年1月），頁5-18。

一個必須面對的問題。處理的方式有兩種模式：二軌並行制或是一軌制。

二軌並行制是繼續沿用目前的處理方式，即書目資料是採用機讀編目格式，而網頁則是應用都柏林核心集。但是二軌並行也意謂著處理的各種負擔和維護成本加倍，而圖書館一如所有的機構或組織，其資源相對於需求是永遠不足的，因此必須將資源做最有效的運用。所以就長期的趨勢來看，二軌並行制必須回應一個基本的質問：就理論和實作而言，二軌並行是否為無可避免的選擇？很不幸的，以長期的眼光來看，目前並無法找到堅強的論證，來支持二軌並行制為無可避免的選擇。

另一方面，一軌制則是基於資源有效運用的觀點，嘗試以一種格式來同時處理書目資料與網頁。那到底是以書目資料使用的機讀編目格式來合併處理網頁，還是以網頁使用的都柏林核心集來合併處理書目資料呢？作者以為潮流的趨勢將是後者，即是以都柏林核心集來合併處理網頁和書目資料，主要的關鍵點在於「作者著錄」的概念。

以機讀編目格式來處理所謂的電子（或網路）資源，已經進行很多年，例如早期 OCLC 的「Assessing Information on the Internet」計劃和美國國會圖書館的一連串關於網路資源處理的建議書（如建議書 92-1 號）㉖，在中國機讀編目格式第四版中，即增加有欄號 856「電子資源位址及取得方法」。

但是以網頁的目前存在數量和增加速度，已有的共識是必須仰賴

㉖　有關以機讀編目格式來處理電子(或網路)資源的相關計劃和情況，讀者請參閱陳亞寧的《從編目作業探討網路資源的整理》一書中，第二章第一節和第七章的說明。陳亞寧，從編目作業探討網路資源的整理(臺北市：文華，民國 84 年 7 月)。

網頁的作者來自行描述(或著錄)，也就是所謂的「作者著錄」概念。然而網頁的作者並非如圖書館員的專業資料著錄人員，圖書館所使用的機讀編目格式，對一般的網頁作者而言，太過複雜和難以應用。因此時至今日，我們回顧 1990 年代的發展，可以清楚看出，自元資料的概念在 1990 年代中期，逐漸發展成熟落實後，整個時代的趨勢，已經明確顯示排除以機讀編目格式來處理電子資源（含網頁）的方式。

　　相反的，以「作者著錄」為設計出發點的都柏林核心集，近年來在國際間日益受到重視，不但成為處理網頁和網路資源的第一選擇，也在圖書館界受到青睞，已有若干計劃進行中❷，作者也已經建立兩個應用都柏林核心集於圖書著錄的實作系統——梵諦岡傳信大學中文聯合館藏系統（UCS）❷與臺灣地區中文聯合系統（UCSTW）❷。整體發展的趨勢，已經可以嗅出以網頁使用之都柏林核心集，來合併處理書目資料的模式。

❷　在 OCLC 的都柏林核心集半官方網站上，有收集一些使用都柏林核心集的計劃和系統，網址為 http://purl.org/DC/projects/index.htm。此外，在國科會的補助下，以臺灣大學為主體的研究群，也持續在推動一個「數位博物館」的專案計劃，雖然最初並非使用都柏林核心集，不過後來也追隨國際趨勢，轉而採用都柏林核心集。有關此「數位博物館」專案計劃的發展介紹請參考「數位圖書館/博物館中詮釋資料之理論與實作」一文。陳雪華、陳昭珍、陳光華，「數位圖書館/博物館中詮釋資料之理論與實作」，圖書館學刊 13 期（民 87 年 12 月），頁 45-46。

❷　是應用都柏林核心集於圖書著錄的一個系統，網址為 http://dimes.lins.fju.edu.tw/ucspuu/。在民國 88 年 5 月第一期計劃完成時，總計有 2866 筆書目記錄。請參見作者《都柏林核心集在 UNIMARC 和機讀權威記錄格式的應用探討》一書第四章中的介紹。書目資料見❶。

❷　這是作者仿傚梵諦岡傳信大學中文聯合館藏系統，所建立的第二個應用都柏林核心集於圖書著錄的系統。主要在協助財團法人施合鄭基金會處理其館藏，網址為 http://dimes.lins.fju.edu.tw/ucstw/chinese/shc/。在民國 89 年 1 月第一期計劃完成時，已有五千餘筆書目記錄。請參見第一章第四節中，關於實作系統的介紹。

總而言之，由以上的分析，我們知道在一軌制中，以機讀編目格式來合併處理網頁的可能性已經排除，因此使用都柏林核心集來合併處理書目資料和網頁，是剩下的唯一選擇。另一方面，從學理上也找不出任何強有力證據，來排除應用都柏林核心集於書目資料上，因此二軌並行制也並不是恰當的選擇。

但是理論上可行，是否也意謂著在實務上可以直接應用都柏林核心集於書目資料上，根據作者在梵諦岡傳信大學中文聯合館藏系統（UCS）與臺灣地區中文聯合系統（UCSTW）兩個計劃中❸⓿，實際使用都柏林核心集於圖書著錄上的經驗顯示，答案是否定的。

實務上應用都柏林核心集在書目資料上，有以下幾個必須的考量：

(1)複雜度：雖然在理論架構上，機讀編目格式已被吸納為元資料的一種，不過 MARC 是屬於複雜的元資料，而都柏林核心集是被歸納為簡單的元資料。以中國機讀編目格式第四版為例，根據後面章節中的統計，總計有 121 個欄位（不計入分欄、位址、指標）；而都柏林核心集則祇有 15 個欄位。很顯然的，這並非是單純的一對一關係，因此如何將複雜的機讀編目格式對應到較簡單的都柏林核心集，是須要細細思量的。

(2)欄位名稱和術語的差異：由於機讀編目格式和都柏林核心集在設計之初，其所針對的主體並不相同，一是書籍，一是網頁，而這兩者各有其特色，因此反映出來的是——欄位名稱和術語的差異。例如都柏林核心集中的欄位「關連」和「資料格式」就非圖書館員所熟悉，這是因為「資料格式」此欄位，是因應

---

❸⓿　請參見❷❽和❷❾的說明。

網頁為電子檔案而有的特質；而欄位「關連」則是由於網頁基本上是以「頁」為單位，再加上超連結（Hyperlink）的應用，所引導來的需求。同樣的，書籍也有其獨有的複雜度和特質，例如「叢書」就是一個最好的例證，這是網頁所沒有的特質，自然在都柏林核心集中也不會有相對應的欄位。

(3)過去與未來書目資料的銜接：祇要現有的書籍繼續存在於未來，則現有的書目資料就必須持續存在於未來。因此如果將來採行一軌制，使用都柏林核心集來合併處理書目資料和網頁，則過去與未來書目資料的銜接工作是必須的。換言之，現存的書目資料必須經過適當的轉換，使得過去與未來書目資料中，同樣的資料會放置在相同的欄位。

從以上的分析，已經可以清楚顯示實際使用都柏林核心集於圖書著錄上，有一些問題和困難必須加以克服，絕非是順理成章，或者已經水到渠成的。根據本節一開始對圖書館書目資料處理模式的描述，其主要的支柱為編目規則、機讀格式、與權威記錄，因此如果能將這三根主要的支柱移植到都柏林核心集上，則我們可以很順利使用都柏林核心集來合併處理書目資料和網頁。

根據作者近年來就編目規則、機讀格式、權威記錄這三方面的鑽研探討發現，從目前作者已完成的都柏林核心集移植成果，已經可以證實，不論在理論或是實務層面，以都柏林核心集來合併處理書目資料和網頁是可行的，詳細內容請參閱下面一節的介紹。

其他後續工作，主要有標準化和圖書館員的教育訓練，其他的議題尚有如：以 HTML、XML（或者以後發展出的同性質新技術）來取代 ISO 2709 做為資料流通和交換的格式等。

第四節 移植成果彙整與章節內容簡介

基於以上的認知，作者近年來不斷的從理論和實務層面，就編目規則、機讀編目格式、和權威記錄這三方面，在都柏林核心集上的移植工作鑽研。以下作者將移植成果（包含本書後面章節，以及發表在其他期刊的論文或專書）彙集如下。

首先，就編目規則方面，它是圖書館書籍（或資料）著錄的主要依據，其重要性在作者設計中文聯合館藏系統（UCS），以協助梵諦岡傳信大學處理其中文館藏時，獲得充分的證實。❸不過由於前述的欄位名稱和術語差異，因此並不恰當直接以編目規則的條文，來應用於建基在都柏林核心集的著錄系統上，所以若干條文內容須加以調整，同時部分條文的文字也須要加以修改。以《中國編目規則討》（修訂版）❸條文的修改來說，作者已完成如下的部分：

(1)總則——參閱本書第二章。

(2)圖書——參閱本書第二章。

(3)連續性出版品——參閱「從都柏林核心集看中國編目規則的連續性出版品著錄」一文。❸

(4)善本圖書——參閱「從都柏林核心集看中國編目規則的善本圖

---

❸ 吳政叡，「梵諦岡地區的中文聯合館藏系統（UCS）」，中國圖書館學會會訊 113 期（民 88 年 6 月），頁 19-20。

❸ 中國圖書館學會分類編目委員會，中國編目規則（臺北市：圖書館學會，民國 84 年）。

❸ 吳政叡，「從都柏林核心集看中國編目規則的連續性出版品著錄」，國家圖書館館刊，民國 88 年 1 期（民 88 年 6 月），頁 111-122。

書著錄」一文。**❸**

(5)地圖資料──參閱「從都柏林核心集看中國編目規則的地圖資料著錄」一文。**❸**

(6)樂譜──參閱「從都柏林核心集看中國編目規則的樂譜著錄」一文。**❸**

(7)錄音資料──參閱「從都柏林核心集看中國編目規則的錄音資料著錄」一文。**❸**

雖然作者並未將中國編目規則的所有章節條文，都全部調整完畢，不過由於甲篇「著錄」中起始的「總則」一章，已彙集了大部分書目資料著錄的共通條文與基本處理方式，甚具代表性，已不難窺知甲篇中其他章條文的處理模式。

至於中國編目規則的乙篇「標目」，因牽涉到檢索款目與參照等概念的調整，請參閱本書以下相關章節中的說明。

(1)第二章第四節──「標目與檢索款目的存廢」。

(2)第三章第三節──「資料重複」和「減少中國機讀編目格式資料重複建議」。

(3)第四章第三節──「檢索點與資料重複」、「權威標目與反參

---

❸ 吳政叡，「從都柏林核心集看中國編目規則的善本圖書著錄」，國立中央圖書館臺灣分館館刊 6 卷 1 期（民 88 年 9 月），頁 49-61。

❸ 吳政叡，「從都柏林核心集看中國編目規則的地圖資料著錄」，書苑 40 期（民 88 年 4 月），頁 40-55。

❸ 未發表，請連線至作者線上著作目錄的網頁（http://dimes.lins.fju.edu.tw/published-papers/publish_list.html）。

❸ 吳政叡，「從都柏林核心集看中國編目規則的錄音資料著錄」，圖書館學刊 28 期（民 88 年 6 月），頁 8-22。

見標目」、「不同語文標目與 7__連接標目段」。

就機讀編目格式方面而言，爲了克服前述的複雜度、欄位名稱和術語的差異、過去與未來書目資料的銜接等問題，機讀編目格式到都柏林核心集的轉換對照表，實居關鍵樞紐地位。在對照表的製作上，作者已完成如下的部分：

(1)中國機讀編目格式（第四版）到都柏林核心集的轉換對照表——《機讀編目格式在都柏林核心集的應用探討》一書第三章。❸

(2)國際機讀編目格式（UNIMARC, c1994, 1996 修訂版）到都柏林核心集的轉換對照表——《都柏林核心集在 UNIMARC 和機讀權威記錄格式的應用探討》一書第二章。❸

(3)中國機讀編目格式（第三版）到都柏林核心集的轉換對照表——本書附錄一。

其他與機讀編目格式相關的整理工作，放置在本書第三章，主要有：

(1)都柏林核心集項目之欄號匯集表——本書第三章第二節，這是以都柏林核心集的 15 個基本項目爲主，來分析中國機讀編目格式（第四版）的欄號匯集情況。而前面的轉換對照表，則是以機讀編目格式的欄號爲主。

(2)中國機讀編目格式第三版與第四版欄號差異對照表——本書第三章第一節。

---

❸　同❶，頁 73-156。
❸　同❶，頁 49-170。

⑶ UNIMARC（1996）與中國機讀編目格式第三版欄號差異對照表——本書第三章第一節。

⑷中國機讀編目格式第四版欄號內分欄散佈情況分析表——本書第三章第三節。

⑸中國機讀編目格式第四版分欄內位址散佈情況分析表——本書第三章第三節。

在機讀權威記錄格式方面，為了能夠延續權威記錄在書目資料的品質控制上所扮演的角色，對照表的製作，如同機讀編目格式一般，同樣是必須的。在此方面的移植成果，與其他相關的整理工作，放置在本書第四章：

⑴中國機讀權威記錄格式（1994）到都柏林核心集的轉換對照表——《都柏林核心集在 UNIMARC 和機讀權威記錄格式的應用探討》一書第三章。❹

⑵都柏林核心集項目之欄號匯集表——本書第四章第二節，這是以都柏林核心集的 15 個基本項目為主，來分析中國機讀權威記錄格式（1994）的欄號匯集情況。而前面的轉換對照表，則是以機讀權威記錄格式的欄號為主。

⑶權威記錄的課題探討——本書第四章第三節，主要重點也在探討資料重複和架構上不合理之處，計有「檢索點與資料重複」、「權威標目與反參見標目」、「不同語文標目與 7__連接標目段」三個議題。

在應用都柏林核心集於圖書著錄方面，目前作者建置了以下兩個

---

❹　同❼，頁 171-207。

實作系統，有關這兩個實作系統的介面設計與詳細功能介紹，請參閱作者《都柏林核心集在 UNIMARC 和機讀權威記錄格式的應用探討》一書第四章：❹

(1)梵諦岡傳信大學中文聯合館藏系統（UCS）——網址爲 http://dimes.lins.fju.edu.tw/ucspuu/，這是中華民國外交部和輔仁大學，聯合贊助梵諦岡傳信大學的一個簡易圖書館自動化系統，由作者所設計，是應用都柏林核心集於圖書著錄的一個系統。在民國 88 年 5 月第一期計劃完成時，總計有 2866 筆書目記錄。

(2)臺灣地區中文聯合系統（UCSTW）——網址爲 http://dimes.lins.fju.edu.tw/ucstw/chinese/shc/，這是作者仿傚梵諦岡傳信大學中文聯合館藏系統，所建立的第二個應用都柏林核心集於圖書著錄的系統。主要在協助財團法人施合鄭基金會處理其館藏，由於基金會的設立宗旨，在於保存、發揚及研究與社區廟會相關之民俗曲藝，如子弟戲、布袋戲及陣頭等，因此其館藏也大都偏重在民俗文化方面。在民國 89 年 1 月第一期計劃完成時，已有五千餘筆書目記錄，預期在第二期計劃完成後，總數將達二萬筆左右。

最後，作者根據自己多年來，從理論與實務層面，在這個移植議題上的鑽研經驗，提出一些關於資料著錄的未來趨勢的看法，置放於本書的最後一章——「資料著錄的未來趨勢與結語」。

---

❹　同❶，頁 209-236。

第二章 中國編目規則的
圖書著錄與都柏林核心集

　　編目規則的主要用途是做爲記述編目的準則❶和使用來建構目錄❷，尤其是希望透過編目規則來達成目錄資料的標準化❸，以達成品質齊一、便利交流、合作編目等目標，基本上編目規則可以說是圖書館界長久以來編目經驗的結晶。

　　由於本書主要在探討如何改寫中國編目規則的圖書著錄方面的條文，以便應用都柏林核心集於圖書著錄上。因此編目規則發展的歷史，並非是本書著墨的重點，以下僅非常簡略的介紹我國和歐美的發展歷史，做爲背景介紹的一部分，有興趣的讀者請自行參閱此方面的其他專著。

　　根據《Cataloging and Classification: An Introduction》一書中的描述❹，歐美編目規則發展的歷史，最早可追溯至 1841 年大英博物館所

---

❶　中國圖書館學會分類編目委員會，中國編目規則（臺北市：圖書館學會，民國 84 年），修訂說明頁 V。

❷　Joint Steering Committee for Revision of AACR, *Anglo-American Cataliguing Rules* (Chicago, IL: American Library Association, 1988), p. 7.

❸　L. M. Chan, *Cataloging and Classification: An Introduction* (New York, NY: McGraw-Hill, 1994), p. 33.

❹　同前註，頁 33-47。

出版《Rules for the Compilation of the Catalog》，其後發展的主要編目
規則有：Jewett's Rules、Cutter's Rules、AA 1908、Prussian
Instructions、Vatican Code、LC 1949、ALA 1949、AACR、
ISBD(M)、ISBD(S)、ISBD(G)、AACR2R 1988。更詳細的編目發展之
編年史，讀者可參閱《Cataloguing》❺一書中的列表。

　　至於中國圖書編目發展的歷史，根據《中文圖書分類編目學》一
書中的描述❻，最早可追溯至西漢劉歆的《七略》，其後在明清以前
的重要發展有：西晉《中經新簿》、唐朝《隋書經籍志》、南宋《校
讎學》等。民國成立以來，受到西方編目思想的衝擊，乃改採歐美編
目規則的方式著錄，在《中國編目規則》之前，主要有劉國鈞的《中
文圖書編目條例草案》和中央圖書館（現今國家圖書館前身）的《國
立中央圖書館中文圖書編目規則》。

　　現今臺灣地區中文圖書的著錄，主要是依據《中國編目規則》。
以下根據該書民國八十四年六月出版的修訂版中之序言和說明❼，簡
介其發展過程如下：民國六十九年爲了推動圖書館自動化作業，中國
圖書館學會和現在的國家圖書館乃組織「圖書館自動化作業規劃委員
會」負責推動，其下設有「中國編目規則研訂小組」來進行編目規則
的研訂，於民國七十二年完成《中國編目規則》，主要參考《國立中
央圖書館中文圖書編目規則》和 AACR2 爲藍本修訂而成。其後又依
據 ISBD 和 AACR2R，於民國八十四年完成修訂版。

---

❺　　E. J. Hunter and K.G.B. Bakewell, *Cataloging* (London: Library Association Publishing, 1991), p. 8-23.

❻　　黃淵泉，中文圖書分類編目學（臺北市：學生書局，民 85 年 4 月），頁 45-50。

❼　　同❶，序言和修訂說明頁 i-xi。

第一節　數位時代的著錄需求

　　如前所述，無論是我國或者是歐美的編目規則，都歷經很長的一段發展時間，代表人類長久以來在圖書著錄和處理上所累積的經驗，依常理來判斷，所發展出來的編目規則應該已經很完善。但是仔細深究，因為人類使用紙張已有千年以上的歷史，因此這些經驗主要是建立在以紙張為基礎的記載和處理工具上，所以圖書館使用的是書本式目錄或是卡片目錄，處理的也是印刷媒體的書籍或是資料。

　　這個情況在圖書館嘗試引進電腦做為處理的工具後，開始有了重大的轉變。美國國會圖書館首先於 1966 年創造機讀編目格式（MARC）來處理編目資料❽，從此以後電腦逐漸取代卡片目錄成為主要的處理工具，雖然在以後的發展過程中，編目規則也有因應電腦的特色來調整，例如 1978 年出版的 AACR2 即為其中一例❾。但是由於卡片目錄長久以來建立的深遠影響，同時基於新舊銜接的需要，不論是機讀編目格式或者編目規則，都仍然可以看到卡片目錄的影子。因為人類使用電腦的時間，至今大約祇有半世紀，與使用紙張千年以上的經驗相比，可謂天壤之別，因此一時之間，這些卡片目錄的影子並不易完全去除，是可以理解和想像的。以下作者引用吳瑠璃教授在《中國編目規則》修訂說明中的一段話來佐證。

---

❽　同❸，頁 403。
❾　同前註，頁 44。

自從編目自動化以來，線上目錄逐漸取代卡片目錄，兩者不論在檢索點的選立、目錄的檢索方式、書目記錄的展現方式等方面，均有差異，而原先編訂的編目規則，雖說是爲了配合以電腦來處理書目資料的特性，但本質上仍然擺脫不了卡片目錄的制式，「中國編目規則」的一些修訂條文，就是以線上目錄的特性來考慮的。但若談到符合線上目錄需求的編目規則，恐怕就得另起爐灶，重訂新規，而不是僅靠修訂舊規則就能完事的。

在 1966 年美國國會圖書館創造機讀編目格式時，網際網路（Internet）尚未開始建造，電腦的應用也未如今日之普遍，電子檔案的數量更是相對稀少，因此機讀編目格式處理的對象，仍然以紙張印刷媒體爲大宗。因此其情況可以說是，以紙張爲基礎的記載工具，搭配以電腦爲基礎的處理工具。

這個情況在 1990 年 Web 誕生後❿，開始了另外一個重大的轉變。全球資訊網（Web）最大的貢獻，在將網際網路帶入一般人的日常生活中，不但使得網路的各種應用日益普及，也使得網頁成爲重要的資訊記載和來源之一，而且其重要性也正與日俱增中。網頁（電子檔案的一種形式）的出現，也打破了以紙張爲主要記載工具的情況，因此未來情況，將逐漸演變成以電腦爲基礎的記載和處理工具，形成所謂的電子圖書館（Digital Library）。

---

❿　A. S. Tanenbaum, *Computer Networks* (Upper Saddle River, NJ: Prentice-Hall, 1996), p. 681.

　　那麼在電子圖書館的數位時代，是否已無須對資料加以描述或者編目呢？答案是否定的。由於電腦軟硬體規格的不斷快速改朝換代，使得電子檔案的版本和格式問題格外複雜，連帶使得資料的保存和管理非常棘手。⓫

　　就資料檢索的角度而言，現今 Web 網頁的發展，提供了一個很好的觀察線索。網頁大量湧現後，首先發展出來的檢索工具是搜尋引擎，利用全文檢索的技術來自動斷字取索引，然後將索引建立資料庫來做為檢索的基礎。從搜尋引擎工作的方式，我們已可了解一個事實：即便是功能強大和運算快速的電腦，每次都直接針對網頁的內容來搜尋，也是不切實際和無效率的。因此先行對資料做某種程度的加工，即便在數位時代仍然有其必要性。⓬

　　在網頁發展的初期，搜尋引擎確實達成了預期的功能，因而備受歡迎，時至今日仍然是主要的網頁檢索工具。然而隨著網頁的急遽膨脹，自動斷字作索引資料庫，所導致的低品質和資訊含量過少的缺失，便暴露出來且不斷的惡化中。這時圖書館編目的概念又再次受到重視，一種新的理論架構——元資料便形成且逐漸大行其道。

　　在眾多種類的元資料中，都柏林核心集是較為特殊的，主要它是設計來處理所謂的類文件物件（DLO），簡言之，是可用類似描述傳

⓫　　吳政叡，「從元資料看未來資料著錄的發展趨勢」，資訊傳播與圖書館學 4 卷 2 期（民 86 年 12 月），頁 42-52。

⓬　　利用電腦來將全文斷字取關鍵字做索引的方式，在圖書館界早已行之有年，並非始自搜尋引擎，讀者請參閱何光國《圖書資訊組織原理》一書之第十五章第七節「索引法」的介紹。何光國，圖書資訊組織原理（臺北市：三民書局，民 79 年 6 月）。

統印刷文字媒體方式,加以描述的電子檔案。❸而目前 Web 上大多數的網頁,是符合類文件物件所定義的範疇,因此非常適合利用都柏林核心集來處理,這也是作者選擇架構圖書館新的技術服務舞臺於都柏林核心集的主要因素之一。

從本節前面的簡短介紹,可以發現無論是在紙本目錄時代,其後的機讀編目格式時代,乃至今日的數位時代,以文字為基礎的圖書或是類文件物件(網頁),一直是資料處理的重心,這是因為文字為傳承知識的絕佳工具。作者認為文字在知識傳承所扮演的角色,在未來仍然不會有太大的改變,雖然不會是唯一的工具。

由於圖書或是類文件物件的網頁,都是以文字為基礎,因此從整合的角度來看,下一步應該是設法將兩者的資料著錄和管理整合在一起,來增加效率和便利,同時也可以降低資料處理的成本。從資料格式來看,目前檯面上的兩個主要候選人是機讀編目格式與都柏林核心集,而作者選擇都柏林核心集的原因,將在下面討論機讀編目格式時再詳細敘述。

第二節　改寫原則與要點

從以上的分析和敘述,讀者已可了解作者修改《中國編目規則》條文的動機與用意。總而言之,為了協助圖書館員來了解和使用都柏林核心集,作者根據《中國編目規則》的修訂版,來逐條描述都柏林

---

❸　吳政叡,「三個元資料格式的比較分析」,中國圖書館學會會報 57 期(民 85 年 12 月),頁 35-45。

核心集的著錄方法，使國內的圖書館員能在最短的時間內，學習到如何使用都柏林核心集來著錄。另一方面，藉由逐條的討論，圖書館員也能很清楚的了解到新舊兩種著錄方法的差異。

　　由於以下的對照表，主要是協助熟悉現有編目規則的圖書館員，能了解和使用都柏林核心集，因此雖然在改寫時，已經有根據都柏林核心集的特性，來調整著錄的精神和方式，但是為了銜接現有的編目規則，其基本的架構仍然是根據現有的架構，所以這裏的都柏林核心集著錄方式，是帶有過渡的色彩。以下是對照表的製作方法、符號使用、與共通注意事項的簡要說明：

㈠完全以《中國編目規則》的規則編號為討論單位，例如 1.1.1.2。

㈡為了節省篇幅，祇有列出需要修改的規則編號和條文，未列出者，表示可按照《中國編目規則》的原有方式著錄，惟須注意置放的欄位。

㈢《中國編目規則》有很多的規定，是與卡片目錄直接相關，由於卡片目錄一來已甚少使用，二來本文主要討論（WWW）線上著錄，因此《中國編目規則》這部份的相關規定並不適用，例如規則編號 1.0.3 標點符號中，即有很多符號是用於項目間，如分項符號（.--）和斜撇（/）。

㈣在不妨礙讀者了解原規則條文的情況下，祇列出須要改變的條文部份，以達到清楚醒目和節省篇幅的目的。

㈤《中國編目規則》在有些款目條文中，註明依其他款目著錄者，也請自行查閱在都柏林核心集的相同款目條文來著錄，因為在本文中是刻意完全依照《中國編目規則》的原款目來加以探討的。

㈥請注意表格中，在都柏林核心集這部份，有[說明]和[條文]兩種類

型，[條文]是針對《中國編目規則》中的原條文加以修改，[說明]則不是條文的一部份。

第三節　中國編目規則圖書著錄對照表

以下祇就《中國編目規則》修訂版中與圖書著錄直接相關的部分，包括甲編中的第一章總則和第二章圖書之條文來闡述。❹其餘如甲編中的第三章連續性出版品請參閱「從都柏林核心集看中國編目規則的連續性出版品著錄」❺、第四章善本圖書請參閱「從都柏林核心集看中國編目規則的善本圖書著錄」❻、第五章地圖資料請參閱「從都柏林核心集看中國編目規則的地圖資料著錄」❼、第七章錄音資料請參閱「從都柏林核心集看中國編目規則的錄音資料著錄」❽。

由於都柏林核心集的修飾詞目前正處於轉變中，因此其基本的意義雖然未有所改變，但在名稱和使用方式常常有所調整。例如在 DC5 時使用的名稱爲架構修飾詞（Scheme Qualifer）和次項目修飾詞

---

❹　其餘與圖書著錄直接相關的部分，包括甲編中的第十四章分析，與乙編中的第二十一章檢索款目之擇定、第二十二章人名標目、第二十三章地名、第二十四章團體標目、第二十五章劃一題名、第二十六章參照。因爲牽涉到檢索款目概念的討論與調整，在此暫從略，請參閱本書第二章第四節的說明。

❺　吳政叡，「從都柏林核心集看中國編目規則的連續性出版品著錄」，國家圖書館館刊，民國88年1期（民88年6月），頁111-122。

❻　吳政叡，「從都柏林核心集看中國編目規則的善本圖書著錄」，國立中央圖書館臺灣分館館刊6卷1期（民88年9月），頁49-61。

❼　吳政叡，「從都柏林核心集看中國編目規則的地圖資料著錄」，書宛40期（民88年4月），頁40-55。

❽　吳政叡，「從都柏林核心集看中國編目規則的錄音資料著錄」，圖書館學刊28期（民88年6月），頁8-22。

（Subelement Qualifier），但是一度在 1999 年 7 月 1 日都柏林核心集之資料模型工作小組所發表的草案 Guidance on expressing the Dublin Core within the Resource Description Framework (RDF)中❿，不但將名稱調整為內容值修飾詞（Value Qualifier）和項目修飾詞（Element Qualifier），又有內容值修飾詞（Value Qualifier）和內容值修飾詞彙（Value Qualifier Term）的區分；同樣的，也有項目修飾詞（Element Qualifier）與項目修飾詞彙（Element Qualifier Term）的區分。

　　目前直至西元 2000 年 7 月 1 日的最新文件⓳，修飾詞的使用方式又與 DC5 時類似，但是其名稱分別調整為編碼架構修飾詞(Encoding Scheme Qualifier)和項目精細修飾詞(Element Refinement Qualifier)。

表 2-1. 中國編目規則和都柏林核心集的對照表

中國編目規則		都柏林核心集
編號	條文	
1.0.1	凡目錄依次記載下列各項：…	[說明] 中國編目規則的八個項目與都柏林核心集十五個欄位的大略關係，請參考本章第四節中「編目規則與都柏林核心集對應項目綱要表」的說明。

❿　E. Miller, P. Miller and D. Brickley, "Guidance on expressing the Dublin Core within the Resource Description Framework (RDF)," 1 July 1999, <http://www.ukoln.ac.uk/metadata/resources/dc/datamodel/WD-dc-rdf/WD-dc-rdf-19990701.html>, p. 11.

⓳　"Dublin Core Qualifiers," 1 July 2000, <http://purl.org/dc/documents/rec/dcmes-qualifiers-20000711.htm>.

1.0.3	著錄中，除另有特殊規定外，常用的標點符號列舉如下：…	[說明] 請參考上面注意事項(三)的說明。
1.0.4.2	…、第一著者敘述、其他著者敘述、…	[條文] …、著者敘述、… [說明] 都柏林核心集基本上沒有主要/次要著者的區分。
1.0.5	…，於附註中說明之。	[條文] …，於簡述欄中說明之。
1.0.6.2	…各主要著錄來源間之差異，註明於附註項。	[條文] …各主要著錄來源間之差異，註明於簡述欄。
1.1.0.1	標點符號	[說明] 請參考上面注意事項(三)的說明。
1.1.1	…，需註明於附註項。	[條文] …，需註明於簡述欄。
1.1.1.2	正題名選定後，如主要著錄來源中另有別題名(如原名、亦名、一名、又名等)，視為正題名之一部分，記於其後，兩者之間以「，又名，」相連。	[條文] 正題名選定後，如主要著錄來源中另有別題名，以重覆題名欄位方式，分別著錄，並在項目精細修飾詞[1]中寫入「別名」二字。
1.1.1.5	若作品各著錄來源均不載題名時，…，並於附註項中註明「題名佚去，據 XX 補」。作品…不能取得適當之正題名，編目員得依己意裁定，…，並於附註項中說明。	[條文] 若作品各著錄來源均不載題名時，…，並於簡述欄中註明「題名佚去，據 XX 補」。作品…不能取得適當之正題名，編目員得依己意裁定，…，記載於題名欄，並在項目精細修飾詞[1]中寫入「編目員附加題名」。同時於簡述欄中說明。
1.1.1.6	若正題名同時以兩種以上語文並列，則以與作品中主要部分相同之語文著錄。無法確定時，	[條文] 若正題名同時以兩種以上語文並列，以重覆題名欄位方式，分別著錄，並在語言修飾詞中註明語文種類。

	以首先出現於主要著錄來源者為正題名，其餘以並列題名著錄。	
1.1.1.8	書籍之分卷者，應將卷數記於正題名之後，空一格以國字書寫。若所題卷數與原書不符時，須於附註說明之。	[條文] 書籍之分卷者，應將卷數記於簡述欄，並在項目精細修飾詞[1]中寫入「卷數」二字。若所題卷數與原書不符時，須於簡述欄中一併說明之。
1.1.1.9	若一作品為另一作品之一部分或續篇、補篇等，則將其部分題名(含編次、編次名稱)著錄於正題名之後，以圓點及一空格相隔。	[條文] 若一作品為另一作品之一部分或續篇、補篇等，則將其部分題名(含編次、編次名稱)著錄於簡述欄中。
1.1.1.10	若主要著錄來源同時有共同題名及個別題名，則視共同題名為正題名，其個別題名著錄於附註項。	[條文] 若主要著錄來源同時有共同題名及個別題名，則將共同題著錄於題名欄中，個別題名著錄於簡述欄中。 [說明] 這裏有三種處理方式，各館可依其政策與實際情況自行決定。上述處理方式的優點，是與既有的機讀格式處理方式一致。但從都柏林核心集的著錄原則與讀者檢索便利的角度，則以下面兩種方式較佳：情況一，共同題名及所有個別題名分開獨立編目，則使用關係欄註明彼此的關係；情況二，共同題名及所有個別題名合併編目，以重覆題名欄位方式，分別著錄，並在項目精

		細修飾詞 [1] 分別註明共同題名或個別題名。
1.1.2	資料類型名稱記於正題名之後,加方括弧。…	[條文] 資料類型名稱記於資源類型欄位。…
1.1.2.1	作品無共同題名,其資料類型標示之著錄,如係同一著者之作品,則記於諸題名之後;如係不同著者之作品,則記於最後之題名著者敘述項之後。	[條文] 作品無共同題名,若個別作品分開獨立編目,則資料類型名稱記於個別作品的資源類型欄位;若個別作品合併編目,則以重覆資源類型欄位方式,分別著錄。
1.1.2.2	正題名含編次、編次名稱時,則其資料類型標示著錄於其編次、編次名稱之後。	[條文] 正題名含編次、編次名稱、資料類型時,編次、編次名稱分別記於簡述欄位,並在其項目精細修飾詞 [1] 中寫入「編次」或「編次名稱」;資料類型名稱記於資源類型欄位。
1.1.2.3	若作品係從另一種資料類型轉製而來,依現在之類型著錄,但應於附註項說明據以轉製之原始類型。	[條文] 若作品係從另一種資料類型轉製而來,則現在之類型著錄於資源類型欄位。另於關係欄位中,記載原始資料來源。
1.1.2.4	作品包含兩種或兩種以上之資料類型,以主要部分之資料類型著錄;若無明顯之主要部分,則標示為「多媒體組件」。	[條文] 作品包含兩種或兩種以上之資料類型,以重覆資源類型欄位方式,分別著錄。
1.1.3	…。依主要著錄來源所載之順序著錄,並列題	[條文] …。依主要著錄來源所載之順序,以重覆題名欄位方式,分

		名前冠以等號(=)。	別著錄，並在其項目精細修飾詞[1]中寫入「並列題名」，語言修飾詞中註明語文種類。
1.1.3.2		翻譯作品附原文...原題名以並列題名著錄。翻譯作品未附原文...原題名一律著錄於附註項，並以前導用語「譯自：」引出。	[條文] 翻譯作品附原文...原題名以重覆題名欄位方式，分別著錄，並在其項目精細修飾詞[1]中寫入「並列題名」，語言修飾詞中註明語文種類。翻譯作品未附原文...原題名記載於關係欄位，並在其項目精細修飾詞[1]中寫入「譯自」。 [說明] 另外一種處理方式為不區分有無附原文，祇要原題名可得知，即同時記載於題名和關係欄位，各館可依其政策與實際情況自行決定。
1.1.3.3		並列題名非得自主要著錄來源則著錄於附註項。	[條文] 所有並列題名均以重覆題名欄位方式，分別著錄，並在其項目精細修飾詞[1]中寫入「並列題名」或適當用語，語言修飾詞中註明語文種類。
1.1.4.1		副題名過於冗長...，或著錄於附註項。	[條文] 副題名過於冗長...，可單獨記載於題名欄位，並在其項目精細修飾詞[1]中寫入「副題名」。
1.1.4.2		正題名含義不清，...可於附註項中說明。	[條文] 正題名含義不清，...可於簡述欄位中說明。
1.1.5		依作品之主要著錄來源，...不足憑信或有疑問，仍照樣著錄，而以考證所得記於附註項。	[條文] 依作品之主要著錄來源記載於著者欄位，...不足憑信或有疑問，仍照樣著錄，而以考證所得記於簡述欄。
1.1.5.2		...，得於附註中說明。	[條文] ...，得於簡述欄中說明。

1.1.5.3	著作方式(如撰、編、輯...等)相同之著者名稱，間以逗點(,)不止一人(團體)時，併錄之；但超過三人(團體)者，僅記首列之著者，並加「等」字，其餘全部省略。著作方式不同者，則隔以分號(;)。	[條文] 所有著者均以重覆著者欄位方式，分別著錄；但超過三人(團體)者，可僅記前三者，其餘全部省略，並於簡述欄中註明總人數。
1.1.5.4	...，但可考證其真實姓名記於附註中。	[條文] ...，但可考證其真實姓名記於簡述欄中。
1.1.6.2	...，其餘部分之題名著錄於附註項...。	[條文] ...，其餘部分之題名著錄於關係欄位...。
1.1.6.3	... 若爲同一著者之作品，則依次著錄題名，題名與題名間，以分號相隔。 若爲不同著者之作品，則題名與著者依次對應著錄，每一題名及著者敘述間，以圓點及一空格相隔。	[條文] ... 若爲同一著者之作品，則以重覆題名欄位方式，依次著錄題名。 若爲不同著者之作品，則個別作品分開獨立編目，並使用關係欄記載彼此的關係。
1.2	版本項	[說明] 除另有聲明，否則置於簡述欄，並在項目精細修飾詞[1]中寫入「版本」。
1.2.0.1	標點符號	[說明] 請參考上面注意事項(三)的說明。
1.2.1.1	...其他語文之版本敘述，如有必要，可以並	[條文] ...其他語文之版本敘述，如有必要，可以重覆簡述欄位方

	列形式著錄之。	式，分別著錄，並在語言修飾詞註明語文種類。
1.2.1.4	...將每一題名之版本敘述分別著錄於其題名及著者敘述之後，並以一圓點及空格相隔。	[條文] ...將每一題名之版本敘述以下列方式處理： 若爲合併編目，將版本敘述置於其題名之後，並以一圓點及空格相隔。 若爲分開編目，將版本敘述置於個別目錄之簡述欄，並在項目精細修飾詞[1]中寫入「版本」。
1.2.2	除原著者外，凡對版本修改增補之著者敘述，著錄於版本敘述之後。	[條文] 除原著者外，凡對版本修改增補之著者敘述，著錄於其他參與者欄位。
1.2.2.1	...，可將版本之著者敘述著錄於所有並列版本之後。	[條文] ...，可將版本之著者敘述著錄於其他參與者欄位。
1.2.2.2	...，可依語文類別分別著錄。	[條文] ...，可以重覆其他參與者欄位方式，分別著錄，並在語言修飾詞註明語文種類。
1.2.2.3	...。其他語文之版本著者敘述，以並列版本著者敘述方式著錄之。	[條文] ...。其他語文之版本著者敘述，以重覆其他參與者欄位方式，分別著錄，並在語言修飾詞註明語文種類。
1.4	出版項	[說明] 除另有聲明，否則 出版(經銷)地置於出版者欄，並在項目精細修飾詞[1]中寫入「出版地」(或「經銷地」)。 出版(經銷)者置於出版者欄。 出版(經銷、印製)年置於出版日期欄。

		印製地、印製者置於簡述欄,並在項目精細修飾詞¹中分別寫入「印製地」、「印製者」。
1.4.0.1	標點符號	[說明] 請參考上面注意事項(三)的說明。
1.4.1.2	...其他不同語文之出版、經銷事項,如有必要,可以並列形式著錄之。	[條文] ...其他不同語文之出版、經銷事項,如有必要,可以重覆欄位方式,分別著錄,並在語言修飾詞註明語文種類。
1.4.3.1	...所載之出版者、經銷者等名稱著錄於其所在地名之後。	[條文] ...所載之出版者、經銷者等名稱著錄於出版者欄。
1.4.5.2	版權年與出版年不同,以出版年著錄於前,後附最新版權年,並加「版權」二字。	[條文] 版權年與出版年不同,以重覆出版日期欄位方式,分別著錄,並在記載版權年欄位之項目精細修飾詞¹中寫入「版權年」。
1.4.5.4	... 版權年:後加「版權」二字...。 印製年:後加「印製」二字...。 序跋年:後加「序跋」二字...。 ...	[條文] ... 版權年:出版日期欄位之項目精細修飾詞¹中寫入「版權年」三字...。 印製年:出版日期欄位之項目精細修飾詞¹中寫入「印製年」三字...。 序跋年:出版日期欄位之項目精細修飾詞¹中寫入「序跋年」三字...。 ...
1.4.5.5	...考證之正確年代於附註項中說明,...	[條文] ...考證之正確年代於簡述欄中說明...
1.4.6.1	...,可著錄於出版年之後,並置圓括弧內。	[條文] ...,可著錄於簡述欄中。

1.5	稽核項	[說明] 除另有聲明，否則 數量單位置於資料格式欄，並在項目精細修飾詞[1]中寫入「數量單位」。 插圖及其他稽核細節置於資料格式欄，並在項目精細修飾詞[1]中寫入「插圖及其他」。 高廣、尺寸置於資料格式欄，並在項目精細修飾詞[1]中寫入「尺寸」。 附件置於簡述欄，並在項目精細修飾詞[1]中分別寫入「附件」。
1.5.0.1	標點符號	[說明] 請參考上面注意事項(三)的說明。
1.5.4	依下列三種方式擇一著錄。 視為另一作品著錄。 著錄於附註項。 著錄於稽核項末。	[條文] 依下列二種方式擇一著錄。 視為另一作品著錄。 著錄於簡述欄。
1.6	集叢項	[說明] 除另有聲明，否則 集叢正題名置於題名欄，並在項目精細修飾詞[1]中寫入「集叢」。 集叢並列題名置於題名欄，並在項目精細修飾詞[1]中寫入「集叢並列題名」，語言修飾詞中註明語文種類。 集叢副題名置於題名欄，並在項目精細修飾詞[1]中寫入「集叢副題名」。 集叢著者敘述置於著者欄，並在

		項目精細修飾詞 [1] 中寫入「集叢」。 集叢之國際標準叢刊號碼置於資源識別代號欄，並在編碼架構修飾詞 [2] 中寫入「國際標準叢刊號碼(ISSN)」。 集叢號置於簡述欄，並在項目精細修飾詞 [1] 中分別寫入「集叢號」。
1.6.0.1	標點符號	[說明] 請參考上面注意事項(三)的說明。
1.6.1.1	集叢若有不同題名，依載於指定著錄來源者著錄之，其餘可著錄於附註項。若指定著錄來源中有不同之題名，應選錄其重要而簡明者。	[條文] 集叢若有不同題名，以重覆題名欄位方式，分別著錄，並在項目精細修飾詞 [1] 中寫入「集叢」。
1.6.7.2	附屬集叢之並列題名、副題名及著者敘述，依本規則 1.1.3、1.1.4、1.1.5 各款著錄之。	[條文] 附屬集叢之並列題名、副題名及著者敘述，依本規則 1.1.3、1.1.4、1.1.5 各款著錄之，並在項目精細修飾詞 [1] 中增加「附屬集叢」四字。
1.6.8	作品載明同屬於數種集叢者，依 1.6.1 至 1.6.7 各款著錄，分別加圓括弧。	[條文] 作品載明同屬於數種集叢者，依 1.6.1 至 1.6.7 各款著錄，以重覆欄位方式，分別著錄。
1.6.8.1	……，則於附註項著錄之。	[條文] ……，則以重覆簡述欄位方式，分別著錄之。
1.7	附註項	[說明] 除另有聲明，否則置於簡述欄。

1.7.0.1	標點符號 每一附註另起一行。 …	[條文] 標點符號 每一附註以重覆簡述欄位方式，分別著錄之。 …
1.7.1	… 使用語文、譯作、改寫 … (4) 原名、異名、改名、缺名 … (6) 並列題名 … (14) 學位論文 … (17) 摘要 … (19) 內容 … (20) 號碼… (21) 合刊、合訂… (22) 實際館藏記載	[條文] … (2) 使用語文記載於語言欄位。譯作、改寫則使用關係欄位來說明原著，並在項目精細修飾詞[1]中寫入「譯作」或「改寫」。 … (4) 原名、異名、改名、缺名，使用關係欄位來說明，並在項目精細修飾詞[1]中寫入適當用語。 (6) 並列題名使用題名欄位，並在項目精細修飾詞[1]中寫入「並列題名」，語言修飾詞中註明語文種類。 … (14) 學位論文須另於資源類型欄位中註明。 … (17) 摘要使用簡述欄位，並在項目精細修飾詞[1]中寫入「摘要」。 … (19) 內容使用簡述欄位，並在項目精細修飾詞[1]中寫入「內容」。 … (20) 號碼(除 1.8 款所示者外)，使用資源識別代號欄位，並在項目精細修飾詞[1]中寫入機構簡稱或適

		當用語。 (21) 合刊、合訂(參閱 1.6 款)，使用關係欄位來說明，並在項目精細修飾詞[1]中寫入「合刊」。 (22) 實際館藏記載使用簡述欄位，並在項目精細修飾詞[1]中寫入「館藏」。
1.8	標準號碼及其他必要記載項	[說明] 除另有聲明，否則 標準號碼置於資源識別代號欄，並在編碼架構修飾詞[2]中寫入機構簡稱或適當用語。 識別題名置於題名欄，並在項目精細修飾詞[1]中寫入「識別題名」。 獲得方式置於簡述欄，並在項目精細修飾詞[1]中分別寫入「獲得方式」。 裝訂置於簡述欄，並在項目精細修飾詞[1]中寫入「裝訂」。
1.8.0.1	標點符號	[說明] 請參考上面注意事項(三)的說明。
1.8.1.1	將作品之國際標準書號或國際標準叢刊號等著錄於其縮寫字母 ISBN 或 ISSN 等之後，...	[條文] 將作品之國際標準書號或國際標準叢刊號等著錄於資源識別代號欄，並在編碼架構修飾詞[2]中寫入其縮寫字母 ISBN 或 ISSN 等適當用語。
1.8.1.3	除國際標準號碼外，作品中若載有其他編號者，得記於附註項。	[條文] 除國際標準號碼外，作品中若載有其他編號者，著錄於資源識別代號欄，並在編碼架構修飾詞[2]中寫入適當用語。

1.8.2	將識別題名記於國際標準叢刊號之後，無國際標準叢刊號者，不必記載識別題名。	[條文] 將識別題名記於題名欄，並在項目精細修飾詞[1]中寫入「識別題名」。無國際標準叢刊號者，不必記載識別題名。
1.8.4.1	將作品之裝訂方式或有助區別之字樣，記於國際標準號碼之後。	[條文] 將作品之裝訂方式或有助區別之字樣，置於簡述欄，並在項目精細修飾詞[1]中寫入「裝訂」。
1.9.1	補篇若視為另一獨立之作品，可單獨編目，依1.1.1.9著錄。	[條文] 補篇若視為另一獨立之作品，可單獨編目，並在其關係欄中記載本篇名稱，同時在項目精細修飾詞[1]中寫入「補篇/本篇關係」。
1.10.2	…其餘各資料類型以附件記於稽核項末(見1.5.4款)，或記於附註項(見1.7款)。	[條文] …其餘各資料類型以附件記於簡述欄中(見1.5.4款)。
1.10.3.1	無共同題名之作品，將各個標示分別著錄於每一題名之後；有共同題名之作品，則依1.1.2款著錄。	[條文] 依1.1.2.1款著錄。
1.10.3.2	從下列三種詳簡不同方式中擇一著錄：先依次記載每一資料類型之數量，若有容器，則後記「在容器內」，最後再記該容器之尺寸。作品中各資料類型之稽	[條文] 從下列方式中擇一著錄：以重覆資料格式欄位方式，分別依次記載每一資料類型之數量，若有容器，則後記「在容器內」，最後再記該容器之尺寸。資料類型繁多，除非無法計數，否則仍應記其總數及通稱於資料格式欄位。

	核項，若需要詳細表明時，分別另起一行著錄。 資料類型繁多，除非無法計數，否則仍應記其總數及通稱。	
1.11.2	…。原題名若記載於主要著錄來源，以副題名著錄之，否則應著錄於附註項(見 1.11.6 款)。	[條文] …。原題名記載於題名欄位，並在其項目精細修飾詞[1]中寫入「副題名」。
1.11.3	…。至於原件之有關資料則記於附註項(見 1.11.6 款)。	[條文] …。至於原件之有關資料則記於簡述欄。
1.11.4	…。至於原件之有關資料則記於附註項(見 1.11.6 款)。	[條文] …。至於原件之有關資料則記於簡述欄。
1.11.6	將複印等作品有關原件之所有著錄資料，依項目先後以附註記之。	[條文] 將複印等作品有關原件之所有著錄資料，依項目先後以重覆簡述欄位方式，分別著錄。
2.1.1.1	書名頁同時載有作品之共同書名及個別書名，以共同書名為正書名，個別書名記於附註項內容註。	[條文] 依 1.1.1.10 款著錄。
2.1.1.2	書籍之分卷者，應將卷數記於書名之後，依所題照樣著錄，並間以空格。 … (4) 殘存之書，…並於	[條文] 書籍之分卷者，依所題將卷數記於簡述欄，並在項目精細修飾詞[1]中寫入「卷數」二字。 … (4) 殘存之書，…並於簡述欄中記明殘存第幾卷。

	附註項中記明殘存第幾卷。	
2.5.1.4	…，於附註項中…	[條文] …，於簡述欄中…
2.5.1.7	…，於附註項中…	[條文] …，於簡述欄中…
2.5.1.8.1	…記於附註項。	[條文] …記於簡述欄。
2.5.2.5	…記明於附註項。	[條文] …記於簡述欄。
2.5.4.2	…於附註項中說明。	[條文] …記於簡述欄。

¹ 相當於 DC5 使用的 Subelement Qualifier
² 相當於 DC5 使用的 Scheme Qualifier

第四節　重要課題探討與分析

編目規則的都柏林核心集對應項目分析

　　由於 ISBD(G)——General International Standard Bibliographic Description 將著錄項目分成以下的八類——Title and statement of responsibility area、Edition area、Material (or type of publication) specific area、Publication, distribution, etc., area、Physical description area、Series area、Note area、Standard number (or alternative) and terms of availability area。❷因此在中國編目規則修訂版（民國八十四年）中，也依循 ISBD(G) 的規範，大抵將著錄項目分成八項，而都柏林核

❷　ISBD Review CommitteeWorking Group, *ISBD(G): General International Standard Bibliographic Description*, rev. ed., vol. 6, *UBCIM Publications-New Series* (London: IFLA, 1992), pp.3-4.

心集有十五個欄位，為使讀者對兩者的對映，有一整體的印像，製作了以下的簡略表格。惟實際的對映，仍須以上節中的對照表為依據。

表 2-2. 編目規則與都柏林核心集對應項目綱要表

中國編目規則	都柏林核心集
題名及著者敘述項	題名欄、著者欄、簡述欄、資源類型欄
版本項	簡述欄、其他參與者欄
資料特殊細節項	資料格式欄
出版項	出版者欄、出版日期欄
稽核項	資料格式欄、簡述欄
集叢項	題名欄、著者欄、簡述欄
附註項	題名欄、著者欄、簡述欄、資源類型欄、資源識別代號欄、關連欄、來源欄
標準號碼及其他必要記載項	資源識別代號欄、簡述欄、題名欄

標目與檢索款目的存廢

　　卡片目錄由於其物理性質的限制，除非再以人為方式加以變動，否則衹能以固定的排列形式存在，因此在卡片目錄時代，圖書館為了方便讀者能從不同的角度來查尋館藏，乃有標目與檢索款目的概念，並組合成四種最常見的目錄：書名目錄、著者目錄、標題目錄、分類目錄。㉒換言之，檢索款目的用意在創造分身之卡片，以便分置於不同處，使得有某種相同資訊的卡片能匯集一處，達成協助讀者檢索到所有相關資料的目的。而標目則是置於起首，做為排列和檢索標準的

㉒　同❻，頁 325-335。

檢索款目㉓。

　　雖然書目記錄在電腦實體上，也是以某種固定形式排列一如卡片目錄，然而不同的是，電腦可以很快速的透過程式，來隨意截取部分資料，或者以某種方式和條件來重組資料，簡言之，從使用者的角度來看，電子資料根本就無排列的問題。

　　由於電子資料這種無實體排列問題的特性，自然無須如卡片目錄般，須要製造分身卡片，來成立四種或多種不同排列形式的目錄。進一步來說，如前所述，因為標目是置於起首做為排列標準的款目，如果沒有多種排列形式目錄存在的須要，那麼標目也就沒有存在的必要。總結來說，由於標目在排列和匯集資料的功能，可以隨時透過程式，依照給定的條件來動態達成，因此對以電腦做為處理和檢索工具的系統而言，標目並無存在的必要和價值。

　　那麼與標目密切相關的檢索款目，或者所謂的檢索點（Access Point），對電腦系統來說，是否也無存在的必要？檢索款目的功用在協助讀者找尋資料，以往在卡片目錄時，由於讀者無法快速來一一檢閱卡片中的款目資料，於是編目館員再將重要的款目如題名和著者等，提出成檢索款目，以便製作書名和著者目錄，藉由適當的排列來協助讀者檢索資料。這部分的檢索款目和功能，由於電腦強大的檢索功能和彈性，顯然已經沒有存在的價值，例如《中國編目規則》修訂版乙編第二十一章檢索款目之擇定，條目 21.1.1.1 中將已存在的款目如正題名和並列題名，再次提出成檢索款目的作法，對電腦檢索系統而言，顯然是多餘的。

㉓　同❻，頁 55。

　　相反的，如果是圖書館員針對書籍內容所做的加工，如標題；或者是其他有助於匯集資料和檢索的相關資訊，如乙編第二十一章檢索款目之擇定，條目 21.1.1.1 中提出的劃一題名。這些加工顯然對書目資料的管理和檢索有極大的效益，是值得繼續進行和傳承的。

　　雖然作者認為部分的檢索款目有其存在的價值，但是主張取消檢索款目的名稱（或概念）和改變其所屬的範疇。就改變檢索款目所屬的範疇而言，檢索款目的擇定是置於《中國編目規則》修訂版的乙編標目，而與甲編著錄分離。作者以為這些屬於較有附加價值的加工，如給定標題和類號，正是圖書館員可以發揮其專業的地方，實不宜與一般的著錄分離。尤其隨著資料格式的簡化，這些較機械化的著錄工作，可以交給非專業館員，甚至電腦來做。因此作者個人以為應該將不適用的乙編標目條文刪除，而把剩餘值得保留的條文與甲編著錄合併。

　　另一方面，檢索款目和檢索點所強調的概念，在電腦學科「資料庫」中是不存在的，因為資料庫設計的基本理念，是假定所有欄位都可存取或檢索，除非聲明禁止或加以保護，舉例來說，都柏林核心集的 15 個欄位都是可檢索的。所以在資料庫文獻或教科書中，最常見的討論是如何保護敏感資料，以避免被不當的存取。此外是透過設計來規範每種不同身份或層次的使用者，他們可以「看」到的欄位，雖然使用者並不會覺察到這些限制。

　　配合前述的「所有欄位都可檢索」和「資料不重複」概念，都柏林核心集的作法，是要求不要重複在其他欄位已出現的資料❷，所以

---

❷　D. Hillman, "User Guide Working Draft," 31 July 1998, <http://purl.org/dc/core/documents/working_drafts/wd-guide-current.htm>, pp. 8-9.

從卡片目錄發展而來的檢索點概念，幾乎不曾出現在都柏林核心集相關的文獻中。

　　作者以為應善用電腦強大的檢索能力，實無須再採用自我設限於少數欄位的檢索點概念，更進一步來革除檢索款目的作法，採取現代電腦學科資料庫的全方位檢索概念，如此一來即可大幅減少資料重複的情況，例如機讀編目格式（以《中國機讀編目格式》第四版為例）中 2__段（著錄段）和 7__段（著者及輔助檢索段）的資料重複現象。

著錄項目探討

　　雖然有部分中國編目規則的著錄項目，如正題名、出版者、出版年等，在都柏林核心集是可以很明確的找到對應項目。但是由於都柏林核心集祇有 15 個項目，顯而易見的，眾多的中國編目規則著錄項目，將面臨下列兩種情況：

　　(1)無明確對應項目：例如版本敘述和集叢正題名等。

　　(2)有明確對應項目，但須使用修飾詞：例如並列題名，雖然大致上可以知道對應到都柏林核心集的題名項，可是應使用那些修飾詞來搭配。

　　以上的情況，經常困擾著想要利用都柏林核心集來從事圖書著錄的人員（例如圖書館員），如果不是對都柏林核心集的項目和各式各樣修飾詞的使用法非常熟悉，或是查閱作者所製作的「中國編目規則圖書著錄對照表」，與「中國機讀編目格式到都柏林核心集轉換對照表」，將很容易產生錯誤。

　　為了能讓圖書館員更清楚和快速的了解，圖書著錄時常見的那些著錄項目，是如何對應到都柏林核心集中，作者將幾套常見的著錄項

目，整理列表如下。

製作下列幾套著錄項目的另外一個重要目的，是希望能建立以使用「項目名稱」為主的著錄習慣，來扭轉目前大部份圖書館員，直接以機讀編目格式欄號為主的著錄習慣，以項目名稱來取代欄號的緣由與詳細分析，請參照本書第三章第三節中的「使用上以欄號取代欄位名稱」一節中的分析。其最大的好處是避免資料著錄與某種資料格式連成一體，使得資料著錄受限於該種資料格式，詳細分析請參照本書第五章第三節──「資料著錄與資料格式分離」一節中的分析。

有人或許會質疑使用項目名稱，不如直接利用機讀編目格式欄號來得有彈性。作者以為，任何方法皆有其優缺點，在選擇時是取優點最大或重要者，然後再設法以其他方式來減輕所選擇方法的缺點。以項目名稱較無彈性為例，由於各館資料大都有其特性，透過適當的分析，不難歸納出絕大部份會使用的項目名稱，因此祇要在輸入介面上，加以納入處理即可克服。真正碰到很少出現的資料項目時，館員在透過對照表或其他相關的格式說明文件，利用類似單一項目著錄的機制就可達到目的。相反的，若是過份考慮或牽就稀少情況而犧牲主要優點的作法，作者認為是不智的。

中國編目規則簡略著錄──圖書

首先是《中國編目規則》修訂版中的簡略著錄層次，包括有如下的著錄項目：正題名、第一著者敘述、版本敘述、資料特殊細節、出版者、出版年、稽核項、附註、標準號碼。其中稽核項僅須著錄數量，同時資料特殊細節並不適用於圖書，僅適用於連續性出版品、地圖、樂譜、電腦檔、微縮資料，由於本書以探討都柏林核心集在圖書

著錄的應用爲主，因此以下的表格省略資料特殊細節。

　　由於在《中國編目規則》修訂版中，其各條文並無詳細標註所適用的著錄層次爲何，因此非常難以決定適用於簡略著錄的條文有那些，祇能根據標準著錄的著錄項目列表，透過兩者的差異來加以揣摩。最後，由於附註和標準號碼這兩項，在簡略著錄與標準著錄中並無差異，但是其內容在《中國編目規則》修訂版中卻包羅萬象，因此作者在此僅能秉持簡略著錄的精神，盡量從簡處理。

　　根據「編目規則與都柏林核心集對應項目綱要表」，讀者不難發現《中國編目規則》修訂版中的八大類著錄項目，與都柏林核心集的十五個欄位（或項目），彼此間的對應頗爲複雜，例如中國編目規則的附註項，可能對應到都柏林核心集的題名欄、著者欄、簡述欄、資源類型欄、資源識別代號欄、關連欄、來源欄等。因此著錄者遇到疑惑或特殊情況時，應參考中國編目規則圖書著錄對照表，並以其爲處理的準則。

　　除了上述《中國編目規則》中列出的著錄項目外，一般圖書館的目錄，也幾乎一定會有索書號和主題，因此也一併列入表格以供參考。

　　如同在本章第三節中所敘述，都柏林核心集的修飾詞目前正處於轉變中，㉕因此以下所有本章節中的表格，將採取 2000 年 7 月 1 日文件中所使用的名稱——編碼架構修飾詞（Encoding Scheme Qualifier）和項目精細修飾詞（Element Refinement Qualifier）。

㉕　請參閱⓳和⓴的說明。

表 2-3. 中國編目規則簡略著錄（圖書）著錄項目對照表

著錄項目	都柏林核心集		
	項目	修飾詞[1]	
		Encoding Scheme Qualifier[2]	Element Refinement Qualifier[3]
正題名	題名		
第一著者敘述	著者		
版本敘述	簡述		版本
出版者	出版者		
出版年	出版日期		
頁（面）數	資料格式		頁數
冊數	資料格式		冊數
附註	簡述		
國際標準書號[4]	資源識別代號	ISBN	
主題	主題和關鍵詞		
索書號	資源識別代號		索書號

[1] 請參閱本節簡略著錄（圖書）著錄項目對照表前的說明

[2] 相當於 DC5 使用的 Scheme Qualifier

[3] 相當於 DC5 使用的 Subelement Qualifier

[4] 標準號碼項，作者祇取國際標準書號（ISBN）為例，其他種類標準號碼的處理方式，讀者不難自行倣效推知。

中國編目規則標準著錄──圖書

　　《中國編目規則》修訂版中的標準著錄層次，包括有如下的著錄項目：正題名、資料類型標示、副題名、並列題名、第一著者敘述、其他次要著者敘述、版本敘述、關係版本之第一著者敘述、資料特殊細節、出版地、出版者、出版年、稽核項、集叢項、附註、標準號碼。

　　同樣的，由於在《中國編目規則》修訂版中，其各條文並無詳細標註所適用的著錄層次爲何，因此書中卡片目錄的列表，來揣摩適用於標準著錄的條文和詳細項目名稱有那些，其他的相關事項，請參閱上述簡略著錄中的相關說明。

表 2-4. 中國編目規則標準著錄（圖書）著錄項目對照表

著錄項目	都柏林核心集		
	項目	修飾詞 [1]	
		Encoding Scheme Qualifier [2]	Element Refinement Qualifier [3]
正題名	題名		
副題名	題名		副題名
並列題名	題名		並列題名
資料類型標示	資源類型		
第一著者敘述	著者		
其他次要著者敘述	著者或其他參與者		

版本敘述	簡述		版本
關係版本之第一著者敘述	其他參與者		
出版地	出版者		出版地
出版者	出版者		
出版年	出版日期		
冊數	資料格式		冊數
頁(面)數	資料格式		頁(面)數
插圖	資料格式		插圖
高廣尺寸	資料格式		尺寸
集叢正題名	題名		集叢
集叢著者敘述	著者		集叢
集叢標準號碼	資源識別代號	ISSN	
集叢號	簡述		集叢號
附屬集叢名	題名		附屬集叢
附屬集叢標準號碼	資源識別代號	ISSN	
附屬集叢號	簡述		附屬集叢號
附註	簡述		
國際標準書號(ISBN)	資源識別代號	ISBN	
主題	主題和關鍵詞		
索書號	資源識別代號		索書號

[1] 請參閱本節簡略著錄（圖書）著錄項目對照表前的說明

[2] 相當於 DC5 使用的 Scheme Qualifier

[3] 相當於 DC5 使用的 Subelement Qualifier

國家編目機構最簡著錄層級

在 1990 年代初期，許多圖書館爲了加速編目速度與節省成本考量下，並不完全依照 ISBD 的標準來著錄❷，爲了探討和嘗試解決這個問題，J.H. Lambrecht 認爲須重新思考最簡著錄（Minimal Level Cataloging）的得失，因此針對 34 個國家書目機構，進行最簡著錄之問卷調查，在回收的 22 份問卷中❷，Lambrecht 發現大家一致認同的祇有四個著錄項目──題名、版本敘述、出版者、出版日期。❷

雖然 ISBD 中所規定的 20 個必須著錄項目中，祇有四個項目是被一致接受，但是在問卷調查中也發現，22 個國家書目機構之最簡著錄，都至少含有 7 個以上的 ISBD 之必須著錄項目，其中 20 個國家書目機構更包括 10 個以上的 ISBD 之必須著錄項目。❷

根據回收的 22 份問卷調查，Lambrecht 針對國家書目機構之最簡著錄提出以下的建議，他認爲下表中的 13 個項目應該成爲必須著錄項目：❸

---

❷　Jay H. Lambrecht, *Minimal Level Cataloging by National Bibliographic Agencies*, rev. ed., vol. 8, *UBCIM Publications-New Series* (London: IFLA, 1992), p. 1.

❷　計有下列 22 國：Australia, Austria, Belgium, Brazil, Canada, Chile, Denmark, Finland, France, Germany, Japan, Kenya, New Zealand, Poland, Portugal, Singapore, South Africa, Switzerland, Turkey, United Kingdom, United States, and Venezuela.

❷　同❷，頁 24。

❷　同前註。

❸　同❷，頁 33-47。

表 2-5. Lambrecht 建議國家書目機構之最簡著錄項目表

著錄項目	ISBD 條文編號	國家書目機構涵蓋數目 [1]
正題名	1.1	22
並列題名	1.3	15
其他題名	1.4	17
著者敘述	1.5	18
版本敘述	2.1	22
其他版本敘述	2.4	22
出版地	4.1	20
出版者	4.2	22
出版年	4.4	22
稽核項(數量)	5.1	20
集叢正題名	6.1	20
集叢號	6.6	19
標準號碼	8.1	21

[1] 以回收的 22 份問卷調查為計算基準。

　　由於國內著錄習慣與 ISBD 稍有不同，因此依照《中國編目規則》修訂版中的作法，將版本敘述（ISBD 2.1）和其他版本敘述（ISBD 2.4）合併。此外，稽核項（數量）和標準號碼，也依據前面中國編目規則簡略和標準著錄（圖書）之著錄項目的方式處理。

表 2-6. Lambrecht 國家書目機構之最簡著錄項目對照表

著錄項目	都柏林核心集		
	項目	修飾詞[1]	
		Encoding Scheme Qualifier[2]	Element Refinement Qualifier[3]
正題名	題名		
並列題名	題名		並列題名
著者敘述	著者		
版本敘述	簡述		版本
出版地	出版者		出版地
出版者	出版者		
出版年	出版日期		
冊數	資料格式		冊數
頁(面)數	資料格式		頁(面)數
集叢正題名	題名		集叢
集叢號	簡述		集叢號
國際標準書號 (ISBN)	資源識別代號	ISBN	

[1] 請參閱本節簡略著錄（圖書）著錄項目對照表前的說明

[2] 相當於 DC5 使用的 Scheme Qualifier

[3] 相當於 DC5 使用的 Subelement Qualifier

第三章　中國機讀編目格式與都柏林核心集

　　根據王振鵠教授在中國機讀編目格式第三版中的序言描述，中國機讀編目格式的發展歷程，首先是在民國 69 年 5 月，由中國圖書館學會與國立中央圖書館（現今國家圖書館的前身），合作組織「中文機讀編目格式工作小組」進行研定，主要是依據「國際機讀編目格式」（UNIMARC-1980）、美國國會圖書館「書目機讀編目格式」（MARC Formats for Bibliographic Data-1980）、與 ISO2709 格式來制定，於民國 70 年 1 月完成「中文圖書機讀編目格式」第一版，同年 7 月第二版修訂出版。

　　「中文圖書機讀編目格式」第二版出版後，為期能處理書籍之外，其他類型的資料，隨後又修訂加入連續性出版品、地圖、音樂、視聽資料等的機讀編目格式，於民國 71 年 8 月發行新版，並且更名為「中國機讀編目格式」。民國 73 年又根據國際圖書館協會聯盟 1983 年編訂的 UNIMARC Handbook 修訂出版「中國機讀編目格式」第二版，第三版則於民國 77 年出版，第四版甫於民國 86 年 6 月修訂出版。

第一節　機讀編目格式版本差異對照

雖然中國機讀編目格式第四版已於民國 86 年 6 月出版，但是國內大部份自動化系統，（在本文寫作期間）還是使用第三版為主，因此就機讀編目格式的應用而言，目前可以說是處於第三版與第四版的過渡銜接時期。因此作者特別就中國機讀編目格式第三版與第四版差異，加以製表來詳細解釋其差異之處。

同時在本章第二節中，針對中國機讀編目格式和都柏林核心集所做的進一步分析，是採用中國機讀編目格式第四版為分析對象。因此本節中的這些版本差異對照說明，也可視為是第二節的補充說明資料。

中國機讀編目格式第三版與第四版差異對照

雖然蔡燕青在「談線上編目」一文中，有扼要敘述第四版和第三版的差異❶，但仍不足以來清楚明瞭兩版本間的差異情況。因此為了方便現有熟悉和使用第三版的讀者，作者以欄號為比較單位，製作了下面的「中國機讀編目格式第三版與第四版欄號差異對照表」，一方面使讀者對中國機讀編目格式第三版與第四版的差異，能有一個概括的了解；另一方面，使熟悉第三版的讀者在閱讀下面第二節與第三節時，可以有所指引。不過由於本書的重點，並不在探討中國機讀編目格式版本間的差異，因此欄號內的差異和其他調整，將不在探討範圍中。

---

❶　蔡燕青，「談線上編目」，國立中央圖書館臺灣分館館刊 3 卷 4 期（民 86 年 6 月），頁 69-71。

表 3-1. 中國機讀編目格式第三版與第四版欄號差異對照表

第四版	第三版		
欄號	欄號	欄號名稱	差異註解
001	001	記錄識別欄	名稱有小差異
005	005	最後更新時間	名稱有小差異
009	009	各館系統控制號	名稱有小差異
010	010	國際標準書號(ISBN)	*
011	011	國際標準叢刊號(ISSN)	*
017	*	*	第四版中設定為技術報告標準號碼(STRN)
020	020	國家書目號	*
021	021	送繳編號	*
022	022	官書編號	*
025	025	銷售號	*
040	040	叢刊代號(CODEN)	*
050	050	國家圖書館書目記錄號	名稱有小差異
071	071	出版者資料編號	*
090	*	*	第四版中設定為 NBINet 控制號
100	100	一般性資料	*
101	101	作品語文	*
102	102	出版國別	*
105	105	資料代碼欄：圖書、善本書	*
106	106	資料代碼欄：文字資料形式特性	*
110	110	資料代碼欄：連續性出版品	*
115	115	資料代碼欄：投影資料、錄影資料、影片	*

116	116	資料代碼欄：圖片	名稱有小差異
120	120	資料代碼欄：地圖資料--一般性	*
121	121	資料代碼欄：地圖資料形式特性	*
122	122	資料代碼欄：作品涵蓋時間	*
123	123	資料代碼欄：地圖資料--比例尺與座標	*
124	124	資料代碼欄：地圖資料--特殊資料類型	*
125	125	資料代碼欄：樂譜資料與非音樂性錄音資料	*
126	126	資料代碼欄：錄音資料形式特性	*
127	127	資料代碼欄：錄音資料播放或樂譜演奏之時間	*
128	128	資料代碼欄：音樂演奏作品	*
129	129	資料代碼欄：拓片	*
130	130	資料代碼欄：微縮資料形式特性	*
131	131	資料代碼欄：地圖資料--大地、網格、垂直測量	*
135	135	電腦檔	*
200	200	題名及著者敘述項	*
204	204	資料類型標示	*
205	205	版本項	*
206	206	資料特殊細節項：地圖資料--製圖細節	*

207	207	資料特殊細節項：連續性出版品--卷期編次	*
208	208	資料特殊細節項：樂譜形式	*
209	209	資料特殊細節項：電腦檔	*
210	210	出版項	*
211	211	預定出版日期	*
215	215	稽核項	*
225	225	集叢項	*
300	300	一般註	*
*	301	識別號碼註	
*	302	代碼資料註	
*	303	著錄依據註	
*	304	題名及著者敘述項註	
*	305	版本項及書目歷史註	
*	306	出版項註	
*	307	稽核項註	
*	308	集叢項註	
*	310	裝訂及發行性質註	
*	311	連接欄註	
*	312	相關題名註	
*	314	著者註	
*	315	特殊細節註	
*	316	卷數註	
*	320	書目、索引、附錄等註	
*	321	被索引、摘要及引用註	
*	322	製作羣註	
*	323	演出者註	

*	324	影鈔註	
*	326	刊期註	
327	327	內容註	*
328	328	學位論文註	*
330	330	提要註	名稱有差異
*	333	使用者/適用對象註	
*	336	電腦檔資料形式註	
*	337	技術細節(電腦檔)註	
*	339	館藏註	
*	340	採訪主任註	
*	410	集叢	
*	411	附屬集叢	
*	421	補篇	
*	422	本篇	
*	423	合刊	
*	430	繼續	
*	431	衍自	
*	434	合併	
*	435	部份合併	
*	436	由__及__合併而成	
*	440	改名	
*	441	部份衍成	
*	444	併入	
*	445	部份併入	
*	446	衍成	
*	447	與__及__合併成__	
*	448	恢復原題名	

*	451	同一媒體之其他版本	
*	452	不同媒體之其他版本	
*	453	譯作	
*	454	譯自	
*	461	總集	
*	462	分集	
*	463	單冊	
*	464	單冊分析	
*	488	其他相關作品	
500	500	劃一題名	*
501	501	總集劃一題名	*
503	503	劃一習用標目	*
505	*	*	第四版中設定為集叢
510	510	並列題名	*
512	512	封面題名	*
513	513	附加書名頁題名	*
514	514	卷端題名	*
515	515	逐頁題名	*
516	516	書背題名	*
517	517	其他題名	*
*	520	舊題名(適用於連續性出版品)	
521	*	*	第四版中設定為補篇關係
522	*	*	第四版中設定為本篇關係
523	*	*	第四版中設定為合刊
524	*	*	第四版中設定為同一媒體之其他版本

525	*	*	第四版中設定為不同媒體之其他版本
526	*	*	第四版中設定為譯作關係
527	*	*	第四版中設定為譯自關係
530	530	識別題名(適用於連續性出版品)	欄號性質不同，第四版中設定為繼續關係
531	531	簡略題名(適用於連續性出版品)	欄號性質不同，第四版中設定為衍生關係
*	532	完整題名	
534	*	*	第四版中設定為合併關係
535	*	*	第四版中設定為部份合併關係
536	*	*	第四版中設定為由__及__合併而成
540	540	編目員附加題名	欄號性質不同，第四版中設定為改名關係
541	541	編目員翻譯題名	欄號性質不同，第四版中設定為部份衍成關係
544	*	*	第四版中設定為併入關係
545	*	*	第四版中設定為部份併入關係
546	*	*	第四版中設定為衍成關係
547	*	*	第四版中設定為併入關係

548	*	*	第四版中設定為恢復原題名
550	*	*	第四版中設定為識別題名(適用於連續性出版品)
551	*	*	第四版中設定為簡略識別題名(適用於連續性出版品)
552	*	*	第四版中設定為舊題名(適用於連續性出版品)
553	*	*	第四版中設定為完整題名
554	*	*	第四版中設定為編目員附加題名
555	*	*	第四版中設定為編目員翻譯題名
600	600	人名標題	*
601	601	團體名稱標題	*
*	602	家族名稱標題	
*	604	著者/題名標題	
605	605	題名標題	名稱有差異
606	606	主題標題	*
607	607	地名標題	*
*	608	輔助檢索項(善本書)	
610	610	非控制主題詞彙	*
*	620	輔助檢索項(出版地、製作地等)	
*	626	技術細節檢索項(電腦檔)	

660	660	地區代碼	*
661	661	年代代碼	*
670	670	前後關係索引法(PRECIS)	*
675	675	國際十進分類號(UDC)	*
676	676	杜威十進分類號(DDC)	*
680	680	美國國會圖書館分類號(LCC)	*
681	681	中國圖書分類號(CCL)	*
682	682	農業資料中心分類號	*
686	686	美國國立醫學圖書館分類號(NLM)	*
687	687	其他分類號	*
700	700	人名--主要著者	*
*	701	人名--合著者或其他相當主要著者	
702	702	人名--輔助著者	名稱有小差異
710	710	團體名稱--主要著者	*
*	711	團體名稱--合著者或其他相當主要著者	
712	712	團體名稱-輔助著者	名稱有小差異
*	720	家族名稱--主要著者	
*	721	家族名稱--合著者或其他相當主要著者	
*	722	家族名稱--輔助著者	
730	*	*	第四版中設定爲輔助檢索項(善本書)
734	*	*	第四版中設定爲輔助檢索項(出版地、製作地等)

736	*	*	第四版中設定為技術細節檢索項(電腦檔)
750	*	*	第四版中設定為人名(羅馬拼音/中譯作品之著者原名)--主要著者
752	*	*	第四版中設定為人名(羅馬拼音/中譯作品之著者原名)--其他著者
760	*	*	第四版中設定為團體名稱(羅馬拼音/中譯作品之著者原名)--主要著者
762	*	*	第四版中設定為團體名稱(羅馬拼音/中譯作品之著者原名)--其他著者
*	770	人名(羅馬拼音/中譯作品之著者原名)--主要著者	
*	771	人名(羅馬拼音/中譯作品之著者原名)--合著者或其他相當主要著者	
*	772	人名(羅馬拼音/中譯作品之著者原名)--輔助著者	
780	780	團體名稱(羅馬拼音/中譯作品之著者原名)--主要著者	欄號性質不同,第四版中設定為輔助檢索項(善本書)--羅馬拼音
*	781	團體名稱(羅馬拼音/中譯作品之著者原名)--合著者或其他相當主要著者	
*	782	團體名稱(羅馬拼音/中譯作品之著者原名)--輔助著者	

784	*	*	第四版中設定為輔助檢索項(出版地、製作地等)--羅馬拼音
786	*	*	第四版中設定為技術細節檢索項(電腦檔)--羅馬拼音
*	790	家族名稱(羅馬拼音/中譯作品之著者原名)--主要著者	
*	791	家族名稱(羅馬拼音/中譯作品之著者原名)--合著者或其他相當主要著者	
*	792	家族名稱(羅馬拼音/中譯作品之著者原名)-輔助著者	
801	801	出處欄	*
802	802	國際叢刊資料系統中心(ISDS Center)	*
805	805	館藏記錄	*
856	*	*	第四版中設定為電子資源位址及取得方法

* 代表「無」

　　雖然作者在《機讀編目格式在都柏林核心集的應用探討》一書的第三章中❷，已經製作了中國機讀編目格式（第四版）到都柏林核心集的對照表。但是如前所述，目前大多數的圖書館自動化系統，仍然是使用中國機讀編目格式第三版的格式，而第三版與第四版間，根據

---

❷　吳政叡，機讀編目格式在都柏林核心集的應用探討（臺北市：學生書局，民 87 年 12 月）。

上面所製作的「中國機讀編目格式第三版與第四版欄號差異對照表」，僅以欄號的層次來分析，可以發現至少有 110 項的欄號差異：

⑴第三版有，而第四版無的欄號，總計有 71 項。

⑵第三版無，而第四版有的欄號，總計有 34 項。

⑶第三版與第四版欄號相同，但是內容性質完全不同者，分別為欄號 530、531、540、541、780，總計有 5 項。

如果以段的層次來分析，則在 3__附註段、4__連接款目段、5__相關題名段等三個段上有極大的變動：

⑴ 3__附註段：第三版有 29 項欄號，而第四版縮減成 4 項。

⑵ 4__連接款目段：第三版有 26 項欄號，但第四版則取消此段，將絕大多數欄號併入 5__相關題名段。

⑶ 5__相關題名段：第四版中由於併入 4__連接款目段的欄號而項目數量大增，總計有 36 項欄號；而第三版的相關題名段則祇有 16 項欄號。除此之外，第四版中為了容納新增加的欄號，被迫遷移原先第三版中屬於其他相關題名的欄號--520、530、531、532、540、541 等 6 項欄號，在第四版中遷移到欄號 550-555，直接造成 530、531、540、541 等 4 項欄號，在第三版與第四版中產生欄號相同，但是內容性質完全不同的情形。

由於本書的重點，並不在詳細分析中國機讀編目格式第三版和第四版的差異，因此祇在上面做最簡略的比較，讀者請勿認為此兩版本間的差異僅止於此。

雖然上面的比較非常簡略，但仍足以顯示第三版和第四版間有不小的變動，因此若是直接參照《機讀編目格式在都柏林核心集的應用

探討》一書中第三章的第四版對照表，來嘗試轉換依據第三版機讀編目格式製作的書目資料，不但是非常麻煩，且非常容易出錯。基於以上的考量，作者以為有另外製作第三版的對照表的必要，而不能以第四版對照表來代替。再配合下面針對 UNIMARC（1996）與中國機讀編目格式第三版欄號差異的分析，作者認為有另行製作中國機讀編目格式第三版對照表的必要，此對照表將置於附錄一。

UNIMARC（1996）與中國機讀編目格式第三版欄號差異對照

雖然國際機讀編目格式（UNIMARC）一直都是中國機讀編目格式在制定和修訂時的重要參考之一，而作者在《都柏林核心集在 UNIMARC 和機讀權威記錄格式的應用探討》一書的第二章中，也已經製作了 UNIMARC（1996）到都柏林核心集的對照表，然而為了進一步來了解 UNIMARC（1996）和中國機讀編目格式（第三版）的欄號差異情況，作者製作了以下的「UNIMARC（1996）與中國機讀編目格式第三版欄號差異對照表」。

表 3-2. UNIMARC(1996)與中國機讀編目格式第三版欄號差異對照表

UNIMARC 1996	中國機讀編目格式 第三版		
欄號	欄號	欄號名稱	差異註解
001	001	記錄識別欄	*
005	005	最後更新時間	*
*	009	各館系統控制號	

010	010	國際標準書號(ISBN)	*
011	011	國際標準叢刊號(ISSN)	*
012	*	*	UNIMARC 中設定為指紋提供機構
014	*	*	UNIMARC 中設定為作品識別號
020	020	國家書目號	*
021	021	送繳編號	*
022	022	官書編號	*
*	025	銷售號	
040	040	叢刊代號(CODEN)	*
*	050	國家圖書館書目記錄號	
071	071	出版者資料編號	*
100	100	一般性資料	*
101	101	作品語文	*
102	102	出版國別	*
105	105	資料代碼欄：圖書、善本書	*
106	106	資料代碼欄：文字資料形式特性	*
110	110	資料代碼欄：連續性出版品	*
115	115	資料代碼欄：投影資料、錄影資料、影片	*
116	116	資料代碼欄：圖片	*
117	*	*	UNIMARC 中設定為資料代碼欄：立體物品
120	120	資料代碼欄：地圖資料--一般性	*
121	121	資料代碼欄：地圖資料形式特性	*

122	122	資料代碼欄：作品涵蓋時間	*
123	123	資料代碼欄：地圖資料--比例尺與座標	*
124	124	資料代碼欄：地圖資料--特殊資料類型	*
125	125	資料代碼欄：樂譜資料與非音樂性錄音資料	*
126	126	資料代碼欄：錄音資料形式特性	*
127	127	資料代碼欄：錄音資料播放或樂譜演奏之時間	*
128	128	資料代碼欄：音樂演奏作品	*
*	129	資料代碼欄：拓片	
130	130	資料代碼欄：微縮資料形式特性	*
131	131	資料代碼欄：地圖資料--大地、網格、垂直測量	*
135	135	電腦檔	*
140	*	*	UNIMARC中設定爲資料代碼欄：古籍
141	*	*	UNIMARC中設定爲資料代碼欄：古籍影印本
200	200	題名及著者敘述項	*
*	204	資料類型標示	
205	205	版本項	*
206	206	資料特殊細節項：地圖資料--製圖細節	*
207	207	資料特殊細節項：連續性出版品--卷期編次	*

208	208	資料特殊細節項：樂譜形式	*
*	209	資料特殊細節項：電腦檔	*
210	210	出版項	*
211	211	預定出版日期	*
215	215	稽核項	*
225	225	集叢項	*
230	*	*	UNIMARC 中設定為電腦檔案特性
300	300	一般註	*
301	301	識別號碼註	*
302	302	代碼資料註	*
303	303	著錄依據註	*
304	304	題名及著者敘述項註	*
305	305	版本項及書目歷史註	*
306	306	出版項註	*
307	307	稽核項註	*
308	308	集叢項註	*
310	310	裝訂及發行性質註	*
311	311	連接欄註	*
312	312	相關題名註	*
313	*	*	UNIMARC 中設定為主題相關註
314	314	著者註	*
315	315	特殊細節註	*
316	316	卷數註	欄號性質不同，UNIMARC 中設定為古籍複本相關附註
317	*	*	UNIMARC 中設定為古籍出處相關附註

318	*	*	UNIMARC 中設定爲古籍保存相關附註
320	320	書目、索引、附錄等註	*
321	321	被索引、摘要及引用註	*
322	322	製作羣註	*
323	323	演出者註	*
324	324	影鈔註	*
325	*	*	UNIMARC 中設定爲複製來源註
326	326	刊期註	*
327	327	內容註	*
328	328	學位論文註	*
330	330	提要註	*
332	*	*	UNIMARC 中設定爲引用註
333	333	使用者/適用對象註	*
336	336	電腦檔資料形式註	*
337	337	技術細節(電腦檔)註	*
*	339	館藏註	
*	340	採訪主任註	
345	*	*	UNIMARC 中設定爲採訪資料註
410	410	集叢	*
411	411	附屬集叢	*
421	421	補篇	*
422	422	本篇	*
423	423	合刊	*
430	430	繼續	*

431	431	衍自	*
432	*	*	UNIMARC 中設定為繼續關係
433	*	*	UNIMARC 中設定為衍自關係
434	434	合併	*
435	435	部份合併	*
436	436	由__及__合併而成	*
437	*	*	UNIMARC 中設定為衍自關係
440	440	改名	*
441	441	部份衍成	*
442	*	*	UNIMARC 中設定為改名關係
443	*	*	UNIMARC 中設定為部份衍成關係
444	444	併入	*
445	445	部份併入	*
446	446	衍成	*
447	447	與__及__合併成__	*
448	448	恢復原題名	*
451	451	同一媒體之其他版本	*
452	452	不同媒體之其他版本	*
453	453	譯作	*
454	454	譯自	*
455	*	*	UNIMARC 中設定為複製來源關係
456	*	*	UNIMARC 中設定為複製品

461	461	總集	*
462	462	分集	*
463	463	單冊	*
464	464	單冊分析	*
470	*	*	UNIMARC 中設定為被評論關係
481	*	*	UNIMARC 中設定為合刊
482	*	*	UNIMARC 中設定為合刊
488	488	其他相關作品	*
500	500	劃一題名	*
501	501	總集劃一題名	*
503	503	劃一習用標目	*
510	510	並列題名	*
512	512	封面題名	*
513	513	附加書名頁題名	*
514	514	卷端題名	*
515	515	逐頁題名	*
516	516	書背題名	*
517	517	其他題名	*
518	*	*	UNIMARC 中設定為現代拼法題名
520	520	舊題名(適用於連續性出版品)	*
530	530	識別題名(適用於連續性出版品)	*
531	531	簡略題名(適用於連續性出版品)	*

532	532	完整題名	*
540	540	編目員附加題名	*
541	541	編目員翻譯題名	*
545	*	*	UNIMARC 中設定為層級題名
600	600	人名標題	*
601	601	團體名稱標題	*
602	602	家族名稱標題	*
604	604	著者/題名標題	*
605	605	題名標題	*
606	606	主題標題	*
607	607	地名標題	*
608	608	輔助檢索項(善本書)	欄號性質不同，UNIMARC 中設定為形式及種類標題
610	610	非控制主題詞彙	*
615	*	*	UNIMARC 中設定為臨時主題標題
620	620	輔助檢索項(出版地、製作地等)	*
626	626	技術細節檢索項(電腦檔)	*
660	660	地區代碼	*
661	661	年代代碼	*
670	670	前後關係索引法(PRECIS)	*
675	675	國際十進分類號(UDC)	*
676	676	杜威十進分類號(DDC)	*
680	680	美國國會圖書館分類號(LCC)	*

*	681	中國圖書分類號(CCL)	
*	682	農業資料中心分類號	
686	686	美國國立醫學圖書館分類號(NLM)	欄號性質不同，UNIMARC中設定爲其他分類號
*	687	其他分類號	
700	700	人名--主要著者	*
701	701	人名--合著者或其他相當主要著者	*
702	702	人名--輔助著者	*
710	710	團體名稱--主要著者	*
711	711	團體名稱--合著者或其他相當主要著者	*
712	712	團體名稱-輔助著者	*
720	720	家族名稱--主要著者	*
721	721	家族名稱--合著者或其他相當主要著者	*
722	722	家族名稱-輔助著者	*
*	770	人名(羅馬拼音/中譯作品之著者原名)--主要著者	
*	771	人名(羅馬拼音/中譯作品之著者原名)--合著者或其他相當主要著者	
*	772	人名(羅馬拼音/中譯作品之著者原名)-輔助著者	
*	780	團體名稱(羅馬拼音/中譯作品之著者原名)--主要著者	
*	781	團體名稱(羅馬拼音/中譯作品之著者原名)--合著者或其他相當主要著者	

*	782	團體名稱(羅馬拼音/中譯作品之著者原名)--輔助著者	
*	790	家族名稱(羅馬拼音/中譯作品之著者原名)--主要著者	
*	791	家族名稱(羅馬拼音/中譯作品之著者原名)--合著者或其他相當主要著者	
*	792	家族名稱(羅馬拼音/中譯作品之著者原名)--輔助著者	
801	801	出處欄	*
802	802	國際叢刊資料系統中心(ISDS Center)	*
*	805	館藏記錄	
830	*	*	UNIMARC 中設定為編目附註

＊ 代表「無」

　　根據上面所製作的「UNIMARC（1996）與中國機讀編目格式第三版欄號差異對照表」，僅以欄號的層次來分析，可以發現至少有 48 項的欄號差異：

　　(1)中國機讀編目格式第三版有，而 UNIMARC（1996）無的欄號，總計有 20 項。

　　(2)中國機讀編目格式第三版無，而 UNIMARC（1996）有的欄號，總計有 25 項。

　　(3)中國機讀編目格式第三版與 UNIMARC（1996）欄號相同，但是內容性質完全不同者，分別為欄號 316、608、686，總計有

3 項。

由於本書的重點，並不在詳細分析中國機讀編目格式第三版和 UNIMARC（1996）的差異，因此祇在上面做最簡略的比較，讀者請勿認為此兩版的差異僅止於此。

即便是在欄號意義上無差別，可是在分欄層次上，仍然可能會有所差異。以欄號 500 來說，兩者在欄號的層次是同義的，為劃一題名（或 Uniform Title），但是從分欄上來分析，則如下表所示，可發現在分欄的配置上，仍然是有一些差異的。

欄號 500 劃一題名			
UNIMARC 1996	CMARC 第三版		
分欄	分欄	分欄名稱	差異註解
$a	$a	劃一題名	*
$b	*	*	UNIMARC 中設定為資源類型
$h	$h	劃一題名編次	*
$i	$i	劃一題名編次名稱	*
$k	$k	劃一題名出版日期	*
$l	$l	劃一題名形式副標目	*
$m	$m	劃一題名語文	*
$n	$n	劃一題名其他說明	*
*	$p	劃一題名卷數	
$q	$q	劃一題名版本	*
$r	$r	劃一題名羅馬拼音	欄號性質不同，UNIMARC 中設定為音樂媒體

$s	$s	劃一題名作品號	*
*	$t	劃一題名媒體	
$u	$u	劃一題名調性	*
$v	$v	劃一題名冊次號	*
$w	$w	劃一題名編曲	*
$x	$x	劃一題名主題複分	*
$y	$y	劃一題名地區複分	*
$z	$z	劃一題名時代複分	*
$2	$2	劃一題名標題系統代碼	*
$3	$3	劃一題名權威記錄號碼	*

* 代表「無」

　　根據上面所製作的差異對照表，僅以欄號 500 來分析，可以發現有 4 項的分欄差異（以 UNIMARC 欄號 500 的 19 項分欄爲基準來計算，差異達 21%）：

　　⑴中國機讀編目格式第三版有，而 UNIMARC（1996）無的欄號，總計有 2 項。

　　⑵中國機讀編目格式第三版無，而 UNIMARC（1996）有的欄號，總計有 1 項。

　　⑶中國機讀編目格式第三版與 UNIMARC（1996）分欄相同，但是內容性質完全不同者，爲分欄 $r，總計有 1 項。

　　由上面的簡略比較，可以發現中國機讀編目格式第三版和 UNIMARC（1996）間的差異，小於中國機讀編目格式第三版和第四版間的差異，事實上中國機讀編目格式第三版和 UNIMARC（1996）兩者也很類似。但是 48 項的欄號差異，仍然不能隨意加以忽視，對讀

者在使用上會造成某種程度的不便。如果再加上分欄上的比較，則中國機讀編目格式第三版和 UNIMARC（1996）兩者的差異就更爲擴大。因此也不宜直接應用 UNIMARC（1996）的對照表於使用中國機讀編目格式第三版的書目資料，因此作者認爲有另行製作中國機讀編目格式第三版對照表的必要，此對照表將置於附錄一，以供有興趣和需要的讀者參考。

第二節　第四版對照表分析

　　由於中國機讀編目格式的資料欄位（包括欄號和分欄）甚多，而都柏林核心集基本上則祇規範了 15 個項目，兩者之間的資料欄位對應關係並非一目了然。爲了順利將現存的機讀編目格式記錄，轉入都柏林核心集的系統，作者在《機讀編目格式在都柏林核心集的應用探討》一書的第三章中，製作了中國機讀編目格式（第四版）到都柏林核心集的對照表。

　　此對照表可以說是架構圖書館新圖書著錄舞臺於都柏林核心集的重要支柱，它一方面連接機讀編目格式和都柏林核心集，使舊有的機讀編目格式記錄，能轉型成新的都柏林核心集格式；另一方面，對照表也連繫都柏林核心集和編目規則手冊，正如編目規則手冊和機讀編目格式必須相互搭配，本書第二章中製作的編目規則條文對照表，也須要與中國機讀編目格式到都柏林核心集的對照表配合，因此這二種對照表，都是製作圖書館模擬工作介面的基礎（請參見本書第五章第二節中的進一步說明）。

　　由於中國機讀編目格式到都柏林核心集的對照表非常複雜，在

《機讀編目格式在都柏林核心集的應用探討》一書的製作方式，是以機讀編目格式的欄號為排列標的，雖然非常容易從機讀編目格式的欄號，查到相對應的都柏林核心集項目，但是卻很難從都柏林核心集的角度來了解整個對應關係。

為了使讀者能很清楚來了解機讀編目格式的欄號，是如何來分配到都柏林核心集的各個項目，作者製作了以下的（中國機讀編目格式第四版）欄號匯集表，透過欄號匯集表可以來了解整體對應關係之架構，與分析其恰當性。

由於在《機讀編目格式在都柏林核心集的應用探討》一書的對照表，被省略的欄號並未列出，而是散見於各個對照表後的文字說明中。因此作者將（中國機讀編目格式第四版）被省略之欄號集結一起，使讀者能更清楚知道有那些欄號並未做對應。

中國機讀編目格式被刪除欄號整理表

表 3-3. 機讀編目格式被刪除欄號匯集表

中國機讀編目格式			
欄號	位址	指標	名稱
001			系統控制號
005			最後異動時間
009			他館系統控制號
020			國家書目號
042			審查機構
050			國家圖書館書目記錄號
090			NBINet 控制號

100 $a	0-7		輸入日期
100 $a	9-16		出版年
100 $a	21		修正記錄代碼
100 $a	25		音譯代碼
100 $a	34		題名語文
101 $g			正題名語文
102			出版國別
510			並列題名
670			前後關係索引法
802			國際叢刊電子資料系統中心
統計值	總計 17 項		

　　從上表可知，被省略的欄號主要有幾類：一類是系統的記錄號或控制號，如欄號 001 和 009 等，這些資訊在離開原來的系統後即無用；同樣情形也適用於與特定系統相繫的號碼，如欄號 050 和 090 等。一類是一定會重複出現於其他欄號的資訊，如欄號 100$a 位址 9-16 與欄號 210$d 重複。一類是併入其他欄號內，如欄號 102$a 併入欄號 210$a。

　　雖然被省略的欄號並不多，但是機讀編目格式由於設計的緣故（請參見本書其他章節中的分析），此種欄號間資料重複的情形很多，故在實際對應轉換時，會被省略的欄號將遠超過上表所列的欄號，請讀者自行參閱《機讀編目格式在都柏林核心集的應用探討》一書中各個對照表後的文字說明，以及本章第三節中的分析。

都柏林核心集項目之欄號匯集表

以下依據 "A User Guide for Simple Dublin Core" 一文中❸，項目列舉的順序，依序展現 DC 項目之機讀編目格式欄號匯集表如下：

表 3-4. DC 項目「題名」之機讀編目格式欄號匯集表

中國機讀編目格式			
欄號	位址	指標	名稱
200 $a			正題名
200 $c			合刊本其他著者之作品
200 $d			並列題名
200 $e			副題名
200 $r			正題名之羅馬拼音
225 $a			集叢名
225 $d			集叢名之並列題名
225 $e			集叢名之副題名
225 $r			羅馬拼音之集叢名
500 $a			劃一題名
500 $r			劃一題名之羅馬拼音
501 $a			總集劃一題名
501 $e			總集劃一副題名
501 $r			總集劃一題名之羅馬拼音
505 $a			集叢名
505 $d			集叢名之並列題名

❸　D. Hillman, "User Guide Working Draft," 31 July 1998, <http://purl.org/dc/core/documents/working_drafts/wd-guide-current.htm>, pp. 7-16.

505 $e			集叢名之副題名
505 $r			集叢名之羅馬拼音
512 $a			封面題名
512 $e			封面題名之副題名
512 $r			封面題名之羅馬拼音
513 $a			附加書名頁題名
513 $e			附加書名頁題名之副題名
513 $r			附加書名頁題名之羅馬拼音
514 $a			卷端題名
514 $e			卷端題名之副題名
514 $r			卷端題名之羅馬拼音
515 $a			逐頁題名
515 $e			逐頁題名之副題名
515 $r			逐頁題名之羅馬拼音
516 $a			書背題名
516 $e			書背題名之副題名
516 $r			書背題名之羅馬拼音
517 $a			其他題名
517 $e			其他題名之副題名
517 $r			其他題名之羅馬拼音
550 $a+$b		1-1	ISDS 之識別題名
553 $a			完整題名
553 $r			完整題名之羅馬拼音
554 $a			編目員附加題名
554 $r			編目員附加題名之羅馬拼音
555 $a			編目員翻譯題名
555 $e			編目員翻譯題名之副題名

555 $r			編目員翻譯題名之羅馬拼音
605 $a			劃一題名
605 $r			劃一題名之羅馬拼音
統計值	總計 46 項		

　　由以上的 DC 項目「題名」之機讀編目格式欄號匯集表可以清楚看出，原有機讀編目格式中各式各樣的題名都匯集於此。除此之外，並無其他與題名無關的資訊置放於此欄位，也與都柏林核心集原始設計的初衷相吻合。

　　唯一值得一提的，作者將叢書名也置於此，一方面符合叢書單獨著錄時的需要，另一方面書籍歸入於叢書的情況甚為普遍，同時讀者也有搜尋叢書名稱的需求，因此置於題名項，將較符合讀者在使用限定欄位搜尋時的期待。

表 3-5. DC 項目「著者」之機讀編目格式欄號匯集表

中國機讀編目格式			
欄號	位址	指標	名稱
200 $f			第一著者敘述
200 $g			第二及依次之著者敘述
225 $f			集叢之著者敘述
505 $f			集叢之著者敘述
700 $a+$b+$c+$d+$f+$s			主要著者
700 $a+$g+$c+$d+$f+$s			主要著者

702 $a+$b+$c+$d+$f+$s			其他著者
702 $a+$g+$c+$d+$f+$s			其他著者
710 $a+$b+$c+$d+$e+$f+$s			(團體名稱)主要著者
712 $a+$b+$c+$d+$e+$f+$s			(團體名稱)其他著者
750 $a+$b			(羅馬拼音)主要著者
760 $a+$b			(團體名稱羅馬拼音)主要著者
統計值	總計 12 項		

　　著者項一如前面的題名項，匯集了機讀編目格式中有關的著者資訊，也與都柏林核心集原始設計的初衷相吻合。要特別提出的，都柏林核心集假定是利用電腦來處理，因此無卡片目錄資料排列的問題，所以並不區分主要與其他著者。

表 3-6. DC 項目「主題和關鍵詞」之機讀編目格式欄號匯集表

中國機讀編目格式			
欄號	位址	指標	名稱
600 $a+$b+$c+$d+$f+$s			人名標目
600 $a+$g+$c+$d+$f+$s			人名標目
601 $a+$b+$c+$d+$e+$f+$s			團體名稱標目

605 $a+$x			劃一題名標目之主題複分
606 $a			主題標題
606 $a+$x			主題標題
607 $a+$x			地名標題之主題複分
610 $a			非控制主題詞彙
675 $a			國際十進分類號(UDC)
676 $a			杜威十進分類號(DDC)
680 $a+$b			美國國會圖書館分類號(LCC)
681 $a+$b			中國圖書分類號(CCL)
682 $a+$b			農業資料中心分類號
686 $a+$b			美國國立醫學圖書館分類號(NLM)
687 $a+$b+$c			其他分類號
統計值	總計 15 項		

　　根據 "Dublin Core Metadata for Resource Discovery"（RFC 2413）❹
和 "A User Guide for Simple Dublin Core" 一文中❺中的規範，除了
subject 之外，還包括 classification scheme，所以機讀編目格式中的分
類號也置於此項目。

　　至於將機讀編目格式中的人名與團體名稱標目歸入此項目，則是
因為一書的主題與其著者在概念上是有分別的，例如很多人寫作關於
耶穌基督的事蹟，則這些書籍的共同主題（人名標目）是耶穌基督，
但是著者則各有其屬。

---

❹　S. Weibel, et. al., "Dublin Core Metadata for Resource Discovery, Version 1.1," *Internet RFC 2413*. Sept. 1998, <http://info.internet.isi.edu/in-notes/rfc/files/rfc2413.txt>, p.4.

❺　同❸，頁 8。

　　由於在機讀編目格式中有檢索款目的概念，因此在欄號 200 題名
及著者敘述項中出現的著者資訊，有可能會再重複出現於欄號 600 的
人名標目與欄號 601 的團體名稱標目，若是如此則省略。

　　除此之外，各種標目的主題複分，如劃一題名標目之主題複分和
地名標題之主題複分等，也置於主題項，而不歸入題名項和涵蓋時空
項等，實例如「論語－評論」和「China－Politics and government」。
由上面的欄號匯集表分析來看，主題項所匯集的資訊，也與都柏林核
心集原始設計的初衷相吻合。

表 3-7. DC 項目「簡述」之機讀編目格式欄號匯集表

中國機讀編目格式			
欄號	位址	指標	名稱
010 $b			裝訂及其他區別字樣
010 $d			發行方式/價格
011 $b			裝訂及其他區別字樣
011 $d			發行方式/價格
025 $d			發行方式/價格
025 $f			裝訂及其他區別字樣
100 $a	8		出版情況
100 $a	17-19		適用對象
101 $b			翻譯來源語文
101 $c			原文
101 $d			提要語文
101 $e			目次語文
101 $f			題名頁語文

101 $h			歌詞語文
101 $i			附件語文
101 $j			影片字幕語文
105 $a	10		索引指標
105 $a	0-3		插圖
110 $a	1		連續性出版品刊期
110 $a	2		連續性出版品規則性
110 $a	9		連續性出版品索引來源
110 $a	10		連續性出版品彙編索引來源
115 $a	11-14		影片附件
115 $a	17		影片基底質料
115 $a	18		影片外框質料
115 $b	0		影片版類別
115 $b	1		工作片性質
115 $b	4		影片基底質料
115 $b	7		影片破損程度
115 $b	8		影片內容完整程度
115 $b	9-14		影片檢查日期
116 $a	1		非投影性圖片之作品資料
116 $a	2		非投影性圖片之外框資料
120 $a	1		地圖資料之索引指標
120 $a	2		地圖資料之圖說指標
121 $a	1-2		地圖來源影像
121 $a	3-4		地圖材質
121 $a	5		地圖資料之製圖技術
121 $a	6		地圖複製方法
121 $a	8		地圖出版形式

121 \$b	4		影像品質
124 \$d			地圖載臺位址
124 \$e			地圖衛星種類
124 \$f			地圖衛星名稱
125 \$b			音樂資料附屬內容
125 \$a	1		分譜指標
126 \$a	0		錄音資料之發行型式
126 \$a	7-12		音樂文字附件
126 \$b	0		錄音資料之類型
126 \$b	1		錄音資料之質料
126 \$b	2		錄音槽切割形式
128 \$b			合奏樂器
128 \$c			獨奏樂器
129 \$a	1		拓製方法
129 \$a	2-3		拓片資料
130 \$a	8		軟片感光乳劑
130 \$a	9		軟片版類別
130 \$a	10		軟片基底
200 \$h			編次
200 \$i			編次名稱
200 \$p			卷數
200 \$v			冊次號
205 \$a			版本
205 \$b			版本
205 \$d			版本
207 \$a			連續性出版品卷期編次
207 \$z			連續性出版品卷期編次來源

210 $e+$f			印製地
210 $g			印製者
215 $e			附件
225 $h			編次
225 $i			編次名稱
225 $v			集叢號
300 $a			附註
300 $u			國際書目交換用之附註
327 $u+$a+$f+$g			內容註
328 $a			學位論文註
328 $u			學位論文註
330 $a			摘要註
330 $u			摘要註
500 $3			權威記錄號碼
500 $h			編次
500 $i			編次名稱
500 $n			其他說明
500 $o			作品號
500 $p			卷數
500 $u			調性
500 $v			冊次號
500 $w			編曲
501 $3			權威記錄號碼
501 $o			作品號
501 $u			調性
501 $w			編曲
505 $h			編次

505 $i			編次名稱
505 $v			集叢號
512 $n			封面題名說明
513 $n			附加書名頁題名說明
514 $n			卷端題名說明
515 $n			逐頁題名說明
516 $n			書背題名說明
517 $n			其他題名說明
523			合刊
600 $3			權威記錄號碼
601 $3			權威記錄號碼
605 $3			權威記錄號碼
605 $h			編次
605 $i			編次名稱
605 $n			其他說明
605 $o			作品號
605 $p			卷數
605 $u			調性
605 $v			冊次號
605 $w			編曲
606 $3			權威記錄號碼
607 $3			權威記錄號碼
700 $3			權威記錄號碼
702 $3			權威記錄號碼
710 $3			權威記錄號碼
712 $3			權威記錄號碼
730 $3			權威記錄號碼

730 $a			版本類型
730 $f			裝訂形式
730 $g			藏印者
730 $x			其他說明
750 $3			權威記錄號碼
752 $3			權威記錄號碼
760 $3			權威記錄號碼
762 $3			權威記錄號碼
780 $a			版本類型
780 $f			裝訂形式
780 $g			藏印者
801 $a+$b	2-0		原始編目單位
801 $a+$b	2-1		輸入電子計算機單位
801 $a+$b	2-2		修改記錄單位
801 $a+$b	2-3		發行記錄單位
801 $c	2-0		原始編目單位處理日期
801 $c	2-1		輸入電子計算機單位處理日期
801 $c	2-2		修改記錄單位處理日期
801 $c	2-3		發行記錄單位處理日期
801 $g	2-0		原始編目單位編目規則代碼
801 $g	36193		修改記錄單位編目規則代碼
801 $m	2-1		輸入電子計算機單位中國機讀編目格式版本
801 $m	2-2		修改記錄單位中國機讀編目格式版本
801 $m	2-3		發行記錄單位中國機讀編目格式版本
805 $n			館藏記錄附註

805 $t+$v			分類系統
856 $1+$k		1-1、1-2	簽入帳戶/密碼
856 $2			電子資源存取方法
856 $a			主機名稱
856 $b		1-0、1-1、1-2	IP
856 $b		1-3	撥接電話號碼
856 $c			壓縮資訊
856 $d+$f			路徑與檔案名稱
856 $d+$g			路徑與檔案名稱
856 $h			帳戶名稱
856 $i			電子資源指令
856 $j			傳輸速度
856 $m			資源存取聯絡人
856 $n			資源所在地
856 $o			遠端作業系統
856 $p			通訊埠
856 $q			檔案傳輸模式
856 $r			傳輸設定
856 $t			終端機模擬
856 $v			電子資源開放時間
856 $z			電子資源存取附註
統計值	總計 167 項		

　　簡述項是都柏林核心集所有項目中擴充最大的，這是因為機讀編目格式經過長時間的發展後，已經容納各式各樣的資料類型，例如地圖資料、錄音資料、影像資料、微縮資料等。因此簡述項除了原本的摘要和附註外，還將各種輔助性的說明資料納入。

　　簡述項也容納了大多數在 MARC 中無法找到與都柏林核心集直接對應的資料，其中較重要的有：裝訂方式、價格、編次（名稱）、版本、連續性出版品卷期編次、印製者等資料，這些資訊雖然也常出現在書目資料中，不過對比於題名、作者、主題等，仍然是屬於次要的輔助性說明，一般而言，也不會出現在讀者的檢索需求內。

　　雖然簡述項經過擴充後，容納入較龐雜的資料，不過這對資料檢索的影響很小，一方面都柏林核心集的所有項目都是可以檢索的；另一方面，使用限定項目檢索時，主要的資訊如題名、著者、主題等都各有其屬，簡述項祇是容納輔助性的說明資料而已，同時搭配修飾詞的使用，各式各樣的輔助性資料也能有所區分。有關修飾詞的搭配資訊，請自行參閱《機讀編目格式在都柏林核心集的應用探討》一書中的對照表。

表 3-8. DC 項目「出版者」之機讀編目格式欄號匯集表

中國機讀編目格式			
欄號	位址	指標	名稱
210 $a+$b			出版地
210 $c			出版者
730 $b			刻書地
730 $c			(善本書)刻書者/出版者
734 $a+$b+$c+$d			出版地
780 $b			(羅馬拼音)刻書地
780 $c			(羅馬拼音)刻書者
784 $a+$b+$c+$d			(羅馬拼音)出版地
統計值	總計 8 項		

除了出版者外，善本書之刻書者，由於其所扮演的角色類似古籍之出版者，重要性大於現代之印製者，所以也列入此項目，而非簡述項。

此外出版地多半是出版者的所在地，對於讀者和圖書館都是非常重要的資訊，因此也與出版者置於同一項目中。大體而言，此項目所匯集的資料，與都柏林核心集原始設計的初衷相吻合。

表 3-9. DC 項目「其他參與者」之機讀編目格式欄號匯集表

中國機讀編目格式			
欄號	位址	指標	名稱
205 $f			版本之第一著者敘述
205 $g			版本之第二及依次之著者敘述
730 $d			(善本書)刻工名
752 $a+$b			(中譯作品)其他著者
762 $a+$b			(中譯作品)(團體名稱)其他著者
統計值	總計 5 項		

其他參與者項匯集如譯者、善本書刻工等，對著作有次要貢獻的人士，與都柏林核心集原始設計的初衷相吻合。

表 3-10. DC 項目「出版日期」之機讀編目格式欄號匯集表

中國機讀編目格式			
欄號	位址	指標	名稱
210 $d			出版或經銷日期
210 $h			印製日期

211 $a			預定出版日期
730 $e			善本書刻書年
780 $e			善本書刻書年
統計值	總計 5 項		

　　此項目主要包含著作之出版日期、經銷日期、印製日期等，完全符合都柏林核心集的項目設計。

表 3-11. DC 項目「資源類型」之機讀編目格式欄號匯集表

中國機讀編目格式			
欄號	位址	指標	名稱
100 $a	20		政府出版品代碼
105 $a	8		會議資料代碼
105 $a	9		紀念集代碼
105 $a	11		文學體裁
105 $a	12		傳記代碼
105 $a	4-7		圖書形式
110 $a	0		連續性出版品類型
110 $a	3		連續性出版品資料類型
110 $a	4		連續性出版品之內容性質
110 $a	5		連續性出版品之內容性質
110 $a	6		連續性出版品之內容性質
110 $a	7		會議出版品代碼
115 $a	0		影像資料之類型
115 $a	6		影像資料之發聲媒體
115 $a	8		影像資料之發行形式

115 $a	9	影片製作技術
115 $a	15	影像資料之發行形式
116 $a	0	非投影性圖片之類型
124 $a		地圖資料之影像性質
124 $b		地圖資料之形式
125 $a	0	樂譜型式
128 $a		作曲型式
130 $a	0	微縮片之類型
135 $a	0	電腦資料類型
204 $a		資料類型
208 $a		樂譜形式
208 $d		並列樂譜形式
605 $1		劃一題名形式複分
606 $1		主題標題形式複分
607 $1		地名標題形式複分
統計值	總計 30 項	

　　由於機讀編目格式本身在設計上，也是可以來容納多種不同類型的作品，因此資源類型項正好恰如其分的來匯集這些資訊。此外各種標題之形式複分，也是講述作品的類型，例如學校－名錄❻，因此也置放於此項目。

---

❻　中國機讀編目格式修訂小組，中國機讀編目格式（臺北市：國家圖書館，民國 86
　　年），頁 294。

表 3-12. DC 項目「資料格式」之機讀編目格式欄號匯集表

中國機讀編目格式			
欄號	位址	指標	名稱
115 $a	1-3		影像資料之長度
106 $a			文字資料形式
115 $a	4		影像資料之色彩
115 $a	5		影像資料之聲音
115 $a	7		影像資料之尺寸
115 $a	10		影像資料之顯像形式
115 $a	16		錄影資料規格
115 $a	19		錄影資料之掃瞄線密度
115 $b	2		影片色彩
115 $b	3		影片感光乳劑
115 $b	5		影片聲音種類
115 $b	6		影片種類
116 $a	3		非投影性圖片之色彩
120 $a	0		地圖資料之色彩
120 $a	3-6		地圖資料之地貌
120 $a	7-8		地圖資料之投影
121 $a	0		平面或立體(地圖資料)
121 $a	7		地圖資料之大地平差法
121 $b	0		地圖資料之感測器高度
121 $b	1		地圖資料之感測器角度
121 $b	2-3		地圖資料之遙測光譜段數
121 $b	5		地圖資料之雲量
121 $b	6-7		地圖資料之地面解像平均值
123 $a			地圖資料之比例尺

123 $b			地圖資料之水平比例尺
123 $c			地圖資料之垂直比例尺
123 $h			地圖資料之角比例尺
123 $n			地圖資料之天體圖畫夜平分點
124 $c			地圖資料之顯像技術
124 $g			地圖錄製技術
126 $a	1		錄音資料之錄音速度
126 $a	2		錄音資料之聲道類型
126 $a	3		唱片紋寬
126 $a	4		唱片直徑
126 $a	5		錄音帶寬度
126 $a	6		錄音帶音軌
126 $a	13		錄音資料之錄製技術
126 $a	14		錄音資料之複製特性
127 $a			錄音資料之演奏時間
129 $a	0		拓片形式
129 $a	4		拓片書體
129 $a	5		拓片文體
129 $a	6		拓片墨色
130 $a	1		微縮片之極性
130 $a	2		微縮片之大小尺寸
130 $a	3		微縮片之縮率
130 $a	4-6		微縮片之閱讀放大倍率
130 $a	7		微縮片之色彩
131 $a			地圖球形體
131 $b			地圖水平基準面
131 $c			地圖主要網格與座標系統

131 $d			地圖重疊與座標系統
131 $e			地圖次級網格與座標系統
131 $f			地圖垂直基準面
131 $g			地圖高層測量單位
131 $h			地圖等高線間距
131 $i			地圖助曲線間距
131 $j			地圖深海測量單位
131 $k			地圖等深線間距
131 $l			地圖助等深線間距
135 $a	1		電腦資料發行型式
135 $a	2		電腦資料色彩
135 $a	3		電腦資料媒體尺寸
135 $a	4		電腦資料媒體聲音
206 $a			製圖細節
209 $a			電腦資料數量
215 $a			稽核資料(數量)
215 $c			其他稽核細節
215 $d			高廣
736 $a			CPU 或電腦機型
736 $b			程式語言
736 $c			作業系統
786 $a			(羅馬拼音)CPU 或電腦機型
786 $b			(羅馬拼音)程式語言
786 $c			(羅馬拼音)作業系統
856 $s			電腦檔案大小
統計值	總計 76 項		

　　DC 的資料格式項，原本是用來指示使用此網路資源時所須的軟硬體，同時也包含檔案大小等的資訊。不過對印刷媒體的書籍來說，資料格式可延伸解釋成其尺寸大小；對地圖或視聽資料則可用來表示其技術規格或是製作技術。這些順應不同資料類型而延伸的解釋，大體上是合理的，因此與都柏林核心集原始項目的設計初衷大致吻合。

表 3-13. DC 項目「資源識別代號」之機讀編目格式欄號匯集表

中國機讀編目格式			
欄號	位址	指標	名稱
010 $a			國際標準書號(ISBN)
010 $z			國際標準書號錯誤碼
011 $a			國際標準叢刊號(ISSN)
011 $y			國際標準叢刊號取消碼
011 $z			錯國際標準叢刊號誤碼
017 $a			技術報告標準號碼(STRN)
017 $z			技術報告標準號碼錯誤碼
021 $b			送繳編號
021 $z			送繳編號錯誤碼
022 $b			官書編號
022 $z			官書編號錯誤碼
025 $a			銷售號
025 $z			銷售號錯誤碼
040 $a			叢刊代號(CODEN)
040 $z			叢刊代號(CODEN)之錯誤碼
071 $a			出版者資料編號
225 $x			國際標準叢刊號(ISSN)

505 $x		國際標準叢刊號(ISSN)
551 $a+$b		ISDS
805 $a+$b+$c		登錄號
805 $a+$b+$p+$d +$e+$1+$k+$y		索書號
856 $u		URL
856 $w		系統控制號
統計值	總計 23 項	

　　資源識別代號項是記載識別資源的資訊，例如網頁的 URN、URL。對書籍和期刊而言，則分別為 ISBN 和 ISSN。其他如個別圖書館的登錄號和索書號，也扮演同樣識別的角色。由上表可清楚看出皆是跟資源識別相關的資訊，因此與都柏林核心集的原始設計完全符合。

表 3-14. DC 項目「語言」之機讀編目格式欄號匯集表

中國機讀編目格式			
欄號	位址	指標	名稱
101 $a			作品語言
統計值	總計 1 項		

　　語言項的吻合毋庸再解釋，祇是再一次提醒讀者作品語文與著錄語文的差異，在處理方式上是不同的。

表 3-15. DC 項目「關連」之機讀編目格式欄號匯集表

欄號	位址	指標	名稱
中國機讀編目格式			
521 $5			補篇
521 $6			補篇
521 $7			補篇
521 $a			補篇
521 $r			補篇
522 $5			本篇
522 $6			本篇
522 $7			本篇
522 $a			本篇
522 $r			本篇
524 $5			同一媒體之其他版本
524 $6			同一媒體之其他版本
524 $7			同一媒體之其他版本
524 $a			同一媒體之其他版本
524 $r			同一媒體之其他版本
525 $5			不同媒體之其他版本
525 $6			不同媒體之其他版本
525 $7			不同媒體之其他版本
525 $a			不同媒體之其他版本
525 $r			不同媒體之其他版本
526 $5			譯作
526 $6			譯作
526 $7			譯作
526 $a			譯作

526 $r			譯作
527 $5			譯自
527 $6			譯自
527 $7			譯自
527 $a			譯自
527 $r			譯自
530 $5			繼續
530 $6			繼續
530 $7			繼續
530 $a			繼續
530 $r			繼續
531 $5			衍生
531 $6			衍生
531 $7			衍生
531 $a			衍生
531 $r			衍生
534 $5			合併
534 $6			合併
534 $7			合併
534 $a			合併
534 $r			合併
535 $5			部份合併
535 $6			部份合併
535 $7			部份合併
535 $a			部份合併
535 $e			部份合併
535 $r			部份合併

536 $5			多個合併
536 $6			多個合併
536 $7			多個合併
536 $a			多個合併
536 $r			多個合併
540 $5			改名
540 $6			改名
540 $7			改名
540 $a			改名
540 $r			改名
541 $5			部份衍成
541 $6			部份衍成
541 $7			部份衍成
541 $a			部份衍成
541 $r			部份衍成
544 $5			併入
544 $6			併入
544 $7			併入
544 $a			併入
544 $r			併入
545 $5			部份併入
545 $6			部份併入
545 $7			部份併入
545 $a			部份併入
545 $r			部份併入
546 $5			衍成
546 $6			衍成

546 $7			衍成
546 $a			衍成
546 $r			衍成
547 $5			併入
547 $6			併入
547 $7			併入
547 $a			併入
547 $r			併入
548 $5			恢復原題名
548 $6			恢復原題名
548 $7			恢復原題名
548 $a			恢復原題名
548 $r			恢復原題名
552 $5			舊題名
552 $6			舊題名
552 $7			舊題名
552 $a			舊題名
552 $r			舊題名
統計值	總計 96 項		

　　關連項是用來陳述兩個不同資源（或作品、記錄）間的關係，因此正好可使用來表示原有機讀編目格式中各式各樣的改名、合併、分衍等資訊。

　　在此特別一提的，來源項的用法，和其與關連項的關係，一直以來都有一些爭論，主要是翻譯作品與其來源作品的關係，究竟是記載在來源項，抑或是置於關連項。不管如何，這對檢索的影響可說是微乎其微。

表 3-16. DC 項目「涵蓋時空」之機讀編目格式欄號匯集表

中國機讀編目格式			
欄號	位址	指標	名稱
120 $a	9-12		(地圖資料)起始經線
122 $a			作品涵蓋時間
123 $d			(地圖資料)(座標)最西邊之經度
123 $e			(地圖資料)(座標)最東邊之經度
123 $f			(地圖資料)(座標)最北邊之緯度
123 $g			(地圖資料)(座標)最南邊之緯度
123 $i			(地圖資料)(座標)(赤緯)向北天極
123 $j			(地圖資料)(座標)(赤緯)向南天極
123 $k			(地圖資料)(座標)(赤經)東端
123 $m			(地圖資料)(座標)(赤經)西端
605 $y			劃一題名標題地區複分
605 $z			劃一題名標題時代複分
606 $y			主題標題地區複分
606 $z			主題標題時代複分
607 $a			地名標題
607 $y			地名標題地區複分
607 $z			地名標題時代複分
660 $a			地區代碼
661 $a			年代代碼
統計值	總計 19 項		

　　從上表可清楚知道，機讀編目格式中與地區和年代相關的資訊，包括各種標題之地區與時代複分，皆匯集於此項，而這正是都柏林核心集涵蓋時空項的設計初衷。

第三節　MARC 格式探討課題

機讀編目格式給非圖書館專業人士的第一印象是複雜：厚厚的一本、眾多的欄號、分欄、位址、指標；對機讀編目格式有較深入了解的人，則多半會注意到其濃厚的卡片目錄色彩；至於對電腦科技有較深刻體會的人，則會驚訝機讀編目格式中有很多資料重複的現象。❼事實上，作者在製作機讀編目格式到都柏林核心集對照表時，感到最棘手的問題之一，也是不同欄號間的資料重複。

以下作者將個人在製作對照表時，在資料格式方面的心得與體會加以陳述，主要探討的問題有二：資料重複與格式設計。至於標目與檢索款目的分析探討，由於已在第二章之「標目與檢索款目的存廢」一節中陳述，在此不再重述，請讀者自行參閱。

資料重複

機讀編目格式中的資料重複現象，主要是起源於檢索款目（或檢索點）的概念，很不幸的，檢索款目正如在第二章之「標目與檢索款目的存廢」一節中所述，是建基於卡片目錄的特性，而非電腦系統的特性。以下作者從電腦科學的角度來分析資料處理的概念。

電腦從早期以來的的兩個主要應用為計算與資料處理，計算功能

---

❼　事實上，熟悉機讀格式的圖書館界人士，也大都體認到機讀格式有資料重複的問題，例如陳昭珍在「從使用者需求與文獻特性看圖書館界資訊組織模式發展趨勢」一文中，即提到機讀格式有資料重複問題。陳昭珍，「從使用者需求與文獻特性看圖書館界資訊組織模式發展趨勢」，大學圖書館 2 卷 3 期（民 87 年 7 月），頁 105-115。

從電腦以前普遍被稱爲「電子計算機」可以看出，一直到今日，計算仍然是電腦的主要應用之一，例如 3D 和動畫都牽涉到複雜的數學運算。其他例證和痕跡，如「電子計算機概論」的課程名稱，與 FORTRAN（第一個高階程式語言❽，現今仍在理工領域中被普遍使用）。

　　雖然一開始時，電腦是設計來協助計算，不過很快的就擴展到商業應用的資料處理上，爲因應強大的需求，第二個高階程式語言——COBOL 在 1960 年代早期誕生❾，現在仍然有許多早期寫作的 COBOL 程式在運作，爲因應 Y2K 的問題，使得熟悉 COBOL 程式語言的程式設計師，一時之間又頗爲熱門。

　　不過以 COBOL 程式語言所建構的系統有很多的問題，這種以個別程式來管理檔案的檔案導向式系統，往往因爲同一系統內個別程式所使用的資料，彼此之間多少有些關聯和重疊，而導至檔案間的資料重複問題，以及伴隨資料重複而來的維護困難與資料不一致現象❿。

　　爲了解決資料重複以及伴隨而來的問題，於是有將程式與資料分離，然後將資料集中管理的概念產生，這就是所謂的「資料庫」。由上面的敘述可知，電腦資料庫系統的基本使命之一，就是要解決資料重複的問題，或是盡量避免資料重複的現象產生，這可由電腦教科書中，提到資料庫的優點時，一定會提及避免資料重複的特色可以看

---

❽　G. Beekman, *Computer Confluence: Exploring Tomorrow's Technology* (Menlo park, California: Benjamin/Cummings Publishing Company, Inc., 1997), p. 265.

❾　同前註。

❿　G. B. Shelly, et.al., *Discovering Computers 98: A Link to the Future* (Cambridge, Massachusetts: International Thomson Publishing, 1998), pp. 9.13-9.14.

出⓫⓬。

　　由於現在電腦科學中主要負責資料處理的，就是資料庫這個領域，而資料重複現象又是資料庫最忌諱的，事實上，在設計和建造資料庫時，正規化（Normalization）可以說是必須有的一個步驟，主要在減少資料重複，以避免資料異動時，產生資料異常和資料間不一致的現象。⓭

　　因此在都柏林核心集的使用者指引中⓮，在敘述各個項目的著錄要點時，即多次提及避免重複已在其他項目中出現的資料：

　　⑴在主題項中提及避免著者項已出現過的資料。

　　⑵在出版者項中提及，若是出版者與著者相同則省略。

減少中國機讀編目格式資料重複建議

　　綜觀中國機讀編目格式，其資料重複產生的主要來源有二：一是為了配合檢索款目概念所設計的著者及輔助檢索段（7__）；一是可能為了達成語彙控制和檢索之目的，設計了代碼段（1__）。其他段中則衹是偶有零星欄號產生重複，如欄號 510 並列題名與欄號 200 $d。根據中國機讀編目格式的說明，可以得知此欄號，部分原因是因為檢索

⓫　A. Tsai, *Database Systems: management and use* (Scarborough, Ontario: Prentice-Hall canada Inc., 1988), p. 5.

⓬　同⓿，頁 9.14。

⓭　一般而言，正規化可定義為「一種藉由檔案分割來降低資料儲存重複性的操作」，其基本的正規化步驟有三：第一正規化形式（First Normal Form 或 1NF）、第二正規化形式（2NF）、第三正規化形式（3NF）。許元、許忠，資訊系統：分析、設計與製作（臺北市：松崗，民 88 年），頁 6-9～6-12。

⓮　同❸，頁 8-9。

款目概念而來。

　　基於以上的分析，為了配合電腦資料庫學科中，資料不重複的基本精神，與充分利用電腦檢索的特色。第一步是廢除標目與檢索款目的概念，因此即可取消著者及輔助檢索段（7＿）的使用。

　　第二步是廢除代碼段，一來是檢索款目概念的廢除，因此無須再以重複代碼的方式來達成檢索之目的，因為代碼段（1＿）的資料，大都與欄號 204 資料類型標示、欄號 206 製圖細節、欄號 207 連續性出版品卷期編次、欄號 208 樂譜型式、欄號 209 電腦檔案型態、欄號 215 稽核項重複。一來是透過代碼的方式來達成語彙控制之目的，是不必要也不正確的作法。檢索款目概念的廢除已在前面章節中分析過，以下作者分析代碼和語彙控制的相關概念和作法。

　　代碼的使用場合，一般主要在輸出入介面上，在輸入介面的主要用途是節省輸入時間⑮；在輸出介面上，大都用在類似郵遞區號（ZIP code）的場合，原因是雖然代碼可用更簡潔形式來代表資料，因而節省儲存空間和傳輸時間，然而其代價是容易弄錯、不易查核、意義隱含（須進一步查代碼對照表），而以今日的科技，儲存空間和傳輸時間已不是大問題，因此一般而言，代碼的優點不足以抵銷其缺點。

　　由於現今機讀編目格式的代碼段，主要是有關資料類型與資料格式的資訊（讀者可從《機讀編目格式在都柏林核心集的應用探討》一書第三章代碼段對照表一覽得知），這些資訊對於一般書籍之外的其他資料類型，其實是有很重要的參考價值，因此以代碼這種意義隱含

---

⑮　G.B. Shelly, T.J. Cashman, and H.J. Rosenblatt, *Systems analysis and design* (Cambridge, Massachusetts: International Thomson Publishing, 1998), p. 7.5.

的方式並不恰當。另一方面，從上面的分析可知，代碼應有限度的使用，而非如機讀編目格式代碼段的如此全面實施。再配合上代碼段眾多的欄號，欄號下各種分欄，分欄下長串的位址，本身的結構就已令人眼花撩亂，再加上代碼，眞是令人望而卻步。以作者自身製作對照表的經驗，代碼段是最令人覺得頭痛和複雜的部份。

　　如果不直接在資料欄中使用代碼，是否有其他方式來達成語彙控制之目的？作者以爲比較好的方式，是由程式或者系統，在輸入和檢索介面上來控制即可。這種讓使用者在輸入介面上打入代碼或者號碼，然後由程式自動對應成適當的語彙，是很普遍的技術，既享有代碼的好處，又可避免代碼的壞處。總而言之，機讀編目格式本身祇須規範控制語彙的清單，剩下的問題系統設計者自然會去解決，機讀編目格式越俎代庖的結果，祇有會壞事而已。

欄號內資料過於龐雜

　　機讀編目格式之所以讓人覺得複雜，跟其將過多（甚至不相干）的資料塞入同一個欄號有關，這間接導至其結構設計過於複雜。一個欄號內不但有數個分欄，分欄內經常又以「位址」形式填入許多資料項，除此之外，還有所謂的「指標」，也可利用來聚集不同資料項，如欄號 801 出處欄的指標 2 有四個可能值，分別代表原始編目單位、輸入電子計算機單位、修改記錄單位、發行記錄單位。經過如此不斷填充的結果，使得某些欄號呈現資訊過量的現象。

　　爲了使讀者對中國機讀編目格式第四版中，欄號內分欄與分欄內位址的使用情況，能有一個清楚的輪廓，作者將其整理成以下的數個表格，相信透過這些表格，讀者對機讀編目格式中欄號內含資料項的

情況，能有更深入的體會。爲求完整起見，首先是「段內欄號散佈情況分析表」。

表 3-17. 段內欄號散佈情況分析表

中國機讀編目格式第四版		
段號	段名稱	欄號數目
0__	識別段	15
1__	代碼資料段	21
2__	著錄段	11
3__	附註段	4
5__	相關題名段	36
6__	主題分析段	16
7__	著者及輔助檢索段	14
8__	各館使用段	4
統計值	每段平均 15.125 個欄號，全部共 121 個欄號。	
說明	保留欄號未計入。	

欄號內分欄散佈情況分析

爲節省篇幅，以下的「欄號內分欄散佈情況分析表」，祇列出欄號含一個以上分欄者，換言之，欄號內無分欄者，如欄號 001 系統控制號，與祇含一個分欄者，如欄號 100 一般性資料，將予以省略，使讀者的注意力能集中在那些多分欄之欄號。

表 3-18. 欄號內分欄散佈情況分析表

中國機讀編目格式第四版		
欄號	欄號名稱	分欄數目
009	他館系統控制號	2
010	國際標準書號(ISBN)	4
011	國際標準叢刊號(ISSN)	5
017	技術報告標準號碼(STRN)	2
020	國家書目號	3
021	送繳編號	3
022	官書編號	3
025	銷售號	5
040	叢刊代號(CODEN)	2
050	國家圖書館書目記錄號	2
071	出版者資料編號	2
090	NBINet 控制號	2
101	作品語文	10
102	出版國別	3
115	影片資料代碼	2
121	地圖資料形式代碼	2
123	地圖資料比例尺與座標代碼	13
124	地圖資料類型代碼	7
125	樂譜資料代碼	2
126	錄音資料形式代碼	2
128	音樂演奏代碼	3
131	地圖資料測量代碼	12
200	題名及著者敘述項	12
205	版本項	5
207	連續性出版品卷期編次	2

208	樂譜形式	2
210	出版項	8
215	稽核項	4
225	集叢項	10
300	一般註	2
327	內容註	4
328	學位論文註	2
330	摘要註	2
500	劃一題名	16
501	總集劃一題名	10
503	劃一習用標目	16
505	集叢名	10
510	並列題名	9
512	封面題名	9
513	附加書名頁題名	9
514	卷端題名	9
515	逐頁題名	9
516	書背題名	9
517	其他題名	9
521	補篇關係	12
522	本篇關係	12
523	合刊	14
524	同一媒體之其他版本	12
525	不同媒體之其他版本	12
526	譯作關係	12
527	譯自關係	12
530	繼續關係	11
531	衍生關係	11

534	合併關係	11
535	部份合併關係	11
536	多個合併關係	11
540	改名關係	11
541	部份衍成關係	11
544	併入關係	11
545	部份併入關係	11
546	衍成關係	11
547	併入關係	11
548	恢復原題名	11
550	識別題名	3
551	簡略識別題名	2
552	舊題名	11
553	完整題名	3
554	編目員附加題名	3
555	編目員翻譯題名	9
600	人名標目	27
601	團體名稱標目	27
605	劃一題名標目	20
606	主題標目	7
607	地名標目	7
670	前後關係索引法	4
675	國際十進分類號(UDC)	3
676	杜威十進分類號(DDC)	2
680	美國國會圖書館分類號(LCC)	2
681	中國圖書分類號(CCL)	4
682	農業資料中心分類號	2
686	美國國立醫學圖書館分類號(NLM)	2

687	其他分類號	4
700	人名--主要著者	26
702	人名--其他著者	26
710	團體名稱--主要著者	26
712	團體名稱--其他著者	26
730	善本書輔助檢索項--版本類型	9
734	善本書輔助檢索項--出版地	4
736	電腦檔--電腦機型	3
750	人名(羅馬拼音)--主要著者	25
752	人名(羅馬拼音)--其他著者	25
760	團體名稱(羅馬拼音)--主要著者	26
762	團體名稱(羅馬拼音)--其他著者	26
780	善本書輔助檢索項(羅馬拼音)	9
784	善本書輔助檢索項--出版地(羅馬拼音)	4
786	電腦檔檢索項(羅馬拼音)	3
801	出處欄	4
805	館藏記錄	13
856	電子資源位址及取得方法	26
統計值	每欄號平均 7.62 個分欄	
說明:	無分欄者其分欄數以 1 計算	

分欄內位址散佈情況分析

　　為節省篇幅，以下的「分欄內位址散佈情況分析表」，祇列出分欄內含一個以上資料單元者，使讀者的注意力能集中在那些多位址之分欄，同時列表將以欄號與其下的分欄爲基本單位。

表 3-19. 分欄內位址散佈情況分析表

中國機讀編目格式第四版			
欄號+分欄	分欄名稱	資料單元數	位址數目
100 $a	一般性資料	12	35
105 $a	善本書代碼	7	13
110 $a	連續性出版品代碼	9	11
115 $a	資料代碼	15	20
115 $b	影片代碼	10	15
116 $a	非投影性圖片代碼	4	4
120 $a	地圖資料代碼	6	13
121 $a	地圖資料形式代碼	7	9
121 $b	航空照相代碼	6	8
125 $a	樂譜資料代碼	2	2
125 $b	錄音資料代碼	2	2
126 $a	錄音資料形式代碼	10	15
126 $b	錄音資料形式代碼(詳細)	3	3
128 $a	作曲形式代碼	1	2
128 $b	合奏代碼	2	4
128 $c	獨奏代碼	2	4
129 $a	拓片代碼	6	7
130 $a	微縮片代碼	9	11
135 $a	電腦檔代碼	5	5
統計值:	每分欄平均 6.2 個資料單元。		
說明:	128 $b 和 $c 取最大可能值。		

從上表可以清楚看出，中國機讀編目格式中，分欄內又以「位址」形式填入許多資料項的特殊作法，祇出現在 1__代碼段，間接證

明這種作法是非正規的。由於代碼段作者已在前面做過分析，並且建議廢除代碼段，如此一來，正巧也可解決機讀編目格式使用「位址」的弊病。

欄-分欄結合體

在基本的資料架構設計上，扣除較特殊的指標和位址，機讀編目格式是採用欄-分欄結合體的基本設計。此種設計的最大優點，是可以將某一資料與其附屬的相關資料緊密結合。例如中國機讀編目格式第四版之欄號 512 的封面題名，其下有下列之分欄：

分欄代碼	分欄名稱
$a	封面題名
$e	副題名
$h	編次
$i	編次名稱
$j	卷號或日期
$n	其他說明
$p	卷數
$z	語文代碼
$r	羅馬拼音

當一本書籍有數個不同題名存在時，若這些題名皆有其各自的編次、卷號、羅馬拼音等附屬資料，則採用欄-分欄結合體的架構，可有效將個別題名與其附屬的相關資料結合在一起，不會有資料四散，造成相互混淆的情況。

　　元資料也有許多是採用類似的欄-分欄的架構來結合相關資料，例如政府資訊指引服務（GILS），在項目 Point of Contact for Further Information（進一步資訊接洽者）下列有十一個子項：❶

| Contact Name（諮詢者名稱） |
| Contact Organization（諮詢機構） |
| Contact Street Address（諮詢者街址） |
| Contact City（諮詢者所在城市名稱） |
| Contact State（諮詢者所在州名稱） |
| Contact Zip Code（諮詢者郵遞區號） |
| Contact Country（諮詢者國家名稱） |
| Contact Network Address（諮詢者網路位址） |
| Contact Hours of Service（諮詢者服務時間） |
| Contact Telephone（諮詢者電話號碼） |
| Contact Fax（諮詢者傳真號碼） |

　　都柏林核心集並無欄-分欄的架構，因此是以欄-修飾詞的方式，再搭配重覆欄位來容納附屬的相關資料。例如：

項目	項目修飾詞（或內容值成份）[1]	
Creator		吳政叡
Creator	首頁網址	http://dimes.lins.fju.edu.tw
Creator	辦公室電話	(02)29031111, ext. 3245

[1] 請參閱《都柏林核心集在 UNIMARC 和機讀權威記錄格式的應用探討》一書第 27 頁的說明。

---

❶　"Application Profile for the Government Information Locator Service (Gils) : version 2," 1997, <http://www.gils.net/prof_v2.html>.

　　此種方式的最大好處是非常有彈性，隨時可利用修飾詞來包容新形成的資料。但其致命傷是相關附屬資料容易四散，同時也會與其他同類型資料混雜，例如當作者有二人且各有其首頁網址和辦公室電話時，將很難利用都柏林核心集欄-修飾詞的方式，來區分到底某個首頁網址是屬於那個作者，這個缺失祇有借助其他機制如 RDF 和 XML 來輔助。**⓱⓲**

欄號與欄位名稱

　　機讀編目格式的另外一個特色為欄號的使用，每個欄位的欄號是固定的，每個欄位內分欄的字母代碼也是固定。在實際的使用上，也是以欄號為主，而非欄位名稱，例如：

　　⑴機讀編目格式的主要流通格式為國際標準組織第 2709 號標準（ISO 2709），即是直接使用欄號，而不使用欄位名稱。**⓳**同樣的，分欄也是直接使用字母代碼。

　　⑵許多介紹編目的書籍，也是以使用欄號為主，如吳瑠璃和江綉瑛編著的《中文圖書編目手冊》**⓴**，祇標示欄號（Tag），並不列出欄位名稱，以節省篇幅。另外一本有關視聽資料的書籍，

⓱　E. Miller, P. Miller and D. Brickley, "Guidance on expressing the Dublin Core within the Resource Description Framework (RDF)," 1 July 1999, <http://www.ukoln.ac.uk/metadata/resources/dc/datamodel/WD-dc-rdf/WD-dc-rdf-19990701.html>, pp. 11-13.

⓲　有關都柏林核心集的 RDF 和 XML 使用方式，請參閱作者的著作──《都柏林核心集在 UNIMARC 和機讀權威記錄格式的應用探討》第五章第一節 DC/RDF 模型。

⓳　同❻，頁8。

⓴　吳瑠璃、江綉瑛，中文圖書編目手冊（臺北市：漢美，民82年6月）。

由張霄亭和吳明德主持的《視聽資料機讀編目手冊》❷，則是以先列欄號，再列欄位名稱的方式呈現，兩者皆有兼顧。以上的兩本編目方面專書，分欄都是使用字母代碼。

(3)大部份圖書館自動化系統的著錄畫面和機讀格式資料的顯示畫面，也是使用欄號。

使用欄號的優點，如同其他代碼一般，有簡潔和儲存空間較小。不過其可能有的缺失也不少，例如：

(1)結構相對較無彈性而不易插入新資料：由於欄號在給定後，會自然形成一種順序與親疏的關係，例如欄號 011 與 010 自然給人有性質相近的感覺，有些時候這可能正是我們希望的副作用。但是，其不良的副作用為結構相對較無彈性，不易插入新資料。以中國機讀編目格式第四版來分析，因使用三個數字的欄號，其最大可用欄號數為 1000，目前已使用欄號數，根據上面的統計為 121 個，因此欄號使用密度是 12.1%。雖然使用密度看起來不高，表示可用的空欄號很多，足以來安插新資料，不過已使用欄號的分佈並不均勻，例如下表中欄號 204 到 211 間已無空欄號可使用，這對處於夾縫中的版本項和眾多不同類型的資料特殊細節項而言，產生無法插入新類型資料的困難。如果使用其他的欄號，將破壞欄號的自然順序與親疏感；如果強行以分欄來容納，將破壞欄-分欄的基本意義。

---

❷　中國視聽教育學會編，視聽資料機讀編目手冊（臺北市：文建會，民84）。

欄號	欄位名稱
204	資料類型
205	版本項
206	資料特殊細節項：地圖資料--製圖細節
207	資料特殊細節項：連續性出版品--卷期編次
208	資料特殊細節項：樂譜形式敘述
209	資料特殊細節項：電腦檔
210	出版項
211	預定出版日期

(2)欄號差異造成流通困擾：以欄號為主流通時，有時候會因時間和地區差異，使得不同語言的機讀編目格式，出現同義但不同欄號的情況，造成流通困擾。這種情況的發生，雖然因為國際機讀編目格式（UNIMARC）的出現而大幅度減緩，但是終究無法完全避免，例如國際機讀編目格式第二版（1996 年修訂版）的欄號 230 和中國機讀編目格式第四版之欄號 209，即是屬於此種同義但不同欄號的情況。

(3)意義不容易直接辨識：由於機讀編目格式欄位眾多，以中國機讀編目格式第四版為例，即有 121 個欄號，除非是對機讀編目格式非常熟悉的編目館員，才能如數家珍般認出欄號，其他圖書館員可能都還是須要查閱機讀編目格式手冊，更遑論其他一般人。幸好大多數欄位的內容皆有自我解釋的作用，在某種程度上舒解了這個問題。

(4)易形成溝通障礙：由於欄號意義不容易直接辨識，往往造成溝通和理解上的障礙。

(5)易犯錯誤且查核困難：在查核錯誤上，欄號因為意義不容易直接辨識，相對上也較為困難。同時機讀編目格式的欄號祇是三個數字，也是很容易在處理時不小心造成錯誤。

以上論述的欄號優缺點，以今日的電腦科技而言，其簡潔和儲存空間較小的優點，相對來說是微不足道，而其缺點倒是可能造成資料處理時很大的困擾，因此作者認為在資料著錄、顯示、流通、儲存，均應使用欄位名稱。事實上，以都柏林核心集為例，雖然在使用者指引或其他文件上，也有使用數字標號，但無強制性，在資料的著錄、顯示、流通、儲存，都是直接使用文字型態的項目名稱。

使用文字型態的欄位（或項目）名稱，由於本身有幾乎近無限種組合變化，再加上無欄號之自然形成的順序與親疏感，自然可避免上述的不易插入新資料、意義不容易直接辨識、易犯錯誤且查核困難等缺點。

第四章　中國機讀權威記錄格式與都柏林核心集

　　由於很多事物經常有不同的名稱，如行動電話、大哥大、與手機等三個名稱都是指同一事物，透過權威記錄中標目的互相參照或參見，可以有匯集資料或協助找尋相關資料的作用，對資料檢索有莫大的助益。

　　此外，許多作者有筆名，甚至在不同著作上使用不同的筆名，圖書館可能利用控制語彙的手段，來達成資料匯集目的，這也須要權威記錄的協助。由以上的說明，可以知道權威記錄在資料檢索和管理上，扮演非常重要的角色。❶

第一節　權威記錄簡介

　　根據國家圖書館（原名國立中央圖書館）民 83 年 12 月出版之《中國機讀權威記錄格式》一書中的序言❷，中國機讀權威記錄格式

---

❶　劉春銀、陳亞寧，「書目資料庫之權威控制系統規劃（上）」，計算中心通訊 11
　　卷 6 期（民 84 年 3 月），頁 51。

❷　中國機讀權威記錄格式修訂小組，中國機讀權威記錄格式（臺北市：國家圖書
　　館，民國 83 年）。

的發展，肇始於民 73 年 9 月成立「中國機讀編目格式工作小組」開始研議，並於民 75 年 2 月完成《中國機讀編目權威記錄格式初稿》。後又於民 82 年，起參考國際圖書館協會聯盟於 1991 年出版的《UNIMARC/AUTHOTITIES：Universal Format for Authorities》進行修訂，終於民 83 年完成修訂工作，並出版了《中國機讀權威記錄格式》。

圖書館的權威標目對象，主要分四大類：人名、團體名稱、題名、標題❸，根據《中國機讀權威記錄格式》，其 2__主標目段，可細分為人名、團體名稱、地名、家族名稱、劃一題名、總集劃一題名、著者/題名、著者/總集劃一題名、主題等權威標目。

機讀權威記錄格式一如機讀編目格式，使用 ISO 2709 為其流通互換的格式，欄號分組成以下九段：❹

段號	段名
0__	識別段
1__	代碼資料段
2__	主標目段
3__	附註段
4__	反見標目段
5__	反參見標目段
6.__	分類號段
7__	連接標目段
8__	資料來源段

---

❸　同前註，頁 3。
❹　同❷，頁 6。

　　根據《中國機讀權威記錄格式》的說明，記錄之類型可分為三種：權威記錄（Authority Entry Record）、參照記錄（Reference Entry Record）、說明參照記錄（General Explanatory Entry Record）；以上的三種記錄乃分別由下面的款目所組成：權威款目、參照款目、說明參照款目。以下引用《中國機讀權威記錄格式》的定義和內容綱要，列述三種款目。❺

表 4-1. 權威款目的定義和內容綱要

定義	編目機構以人名、團體名稱、題名或標題等所建立的權威標目。	
內容綱要	0__	識別段
	1__	代碼資料段
	2__	主標目段
	300	一般註
	305	「參見」之說明註
	4__	反見標目段
	5__	反參見標目段
	7__	連接標目段
	8__	資料來源段

---

❺　同❷，頁 3 和 16。

表 4-2. 參照款目的定義和內容綱要

定義	指引使用者由不同形式標目「見」適當的權威標目，或由權威標目「參見」相關標目。	
內容綱要	0__	識別段
	1__	代碼資料段
	2__	主標目段
	300	一般註
	310	「見」之說明註
	7__	連接標目段
	8__	資料來源段

表 4-3. 說明參照款目的定義和內容綱要

定義	指引使用者查詢某類標目之各項說明。	
內容綱要	0__	識別段
	1__	代碼資料段
	2__	主標目段
	320	說明參照註
	7__	連接標目段

第二節　對照表分析

　　本節作者仿傚前面第三章中，對中國機讀編目格式的分析方式，首先將《都柏林核心集在 UNIMARC 和機讀權威記錄格式的應用探討》第三章中，中國機讀權威記錄格式對照表的被省略之欄號匯集列

出，使讀者能更清楚知道有那些機讀權威記錄格式之欄號並未做對

應。

中國機讀權威記錄格式被刪除欄號表

表 4-4. 中國機讀權威記錄格式被刪除欄號匯集表

中國機讀權威記錄格式			
欄號	位址	指標	名稱
001			權威記錄系統控制號
005			最後異動時間
009			各館權威記錄系統控制號
100 $a	0-7		輸入日期
統計值	總計 4 項		

從上表可知，被省略的欄號主要是系統的記錄號或控制號，如欄
號 001 和 009 等，這些資訊在離開原來的系統後即無用；欄號 050 和
099 則考慮到權威記錄的特性，與國家書目機構應扮演的角色而予以
保留。

都柏林核心集項目之欄號匯集表

其次，為了使讀者能很清楚來了解中國機讀權威記錄格式的欄
號，是如何來分配到都柏林核心集的各個項目，作者製作了以下的欄
號匯集表。

如同前面章節的欄號匯集表，其都柏林核心集項目的列舉順序，

是依循 "A User Guide for Simple Dublin Core" 一文中的順序。❻

表 4-5. DC 項目「主題和關鍵詞」之機讀權威記錄格式欄號匯集表

中國機讀權威記錄格式			
欄號	位址	指標	名稱
200 $a+$b			人名權威標目
200 $a+$g			人名權威標目
200 $x			人名權威標目主題
210 $a+$b			團體名稱權威標目
210 $x			團體名稱權威標目主題
215 $a			地名權威標目
215 $x			地名權威標目主題
220 $a			家族名稱權威標目
220 $x			家族名稱權威標目主題
230 $a			劃一題名權威標目
230 $x			劃一題名標目主題
235 $a+$e			總集劃一題名權威標目
235 $x			總集劃一題名權威標目主題
250 $a			主題權威標目
250 $x			主題權威標目主題
675 $a+$b			國際十進分類號(UDC)
675 $c			國際十進分類號(UDC)
676 $a+$b			杜威十進分類號(DDC)
676 $c			杜威十進分類號(DDC)

---

❻　D. Hillmann, "A User Guide for Simple Dublin Core", 31 July 1998, <http://purl.org/dc/
core/documents/working_drafts/wd-guide-current.htm>, pp. 7-16.

680 $a+$b			美國國會圖書館分類號(LCC)
680 $c			美國國會圖書館分類號(LCC)
681 $a+$b			中國圖書分類號(CCL)
681 $c			中國圖書分類號(CCL)
686 $a+$b			其他分類號
686 $c			其他分類號
統計值	總計 25 項		

　　由以上的欄號匯集表可以知道，主要有三類的中國機讀權威記錄
格式資料，分配入都柏林核心集的主題和關鍵詞項目：一類是各種權
威標目的分類號，而分類號入都柏林核心集「主題和關鍵詞」項目，
已成爲共識和標準的作法，因此可以說是毫無爭議；一類是各種權威
標目的主題複分，這也與都柏林核心集的設計完全吻合；最後一類是
各種權威標目的主體，即標目本身。

　　作者之所以將人名、團體名稱、地名、家族名稱、劃一題名、總
集劃一題名等權威標目主體，連同主題權威標目整個匯集在一起，而
不是分散入都柏林核心集各項目的原因，如人名權威標目放入著者項
目中，是考慮到權威標目的特殊性與用途。首先，雖然機讀權威記錄
與機讀編目格式，將來在處理時都是採用都柏林核心集格式，但這並
不意謂兩者的資料會混雜一起，即便在搜尋時可以一起來被檢索。

　　就用途而言，權威標目主要在提醒檢索者或是使用者另外一些的
可能使用名稱，因此將所有的權威標目集中在一個項目下，不論在資
料的處理與檢索上，都可能較爲便利和有效率。

　　再者，各種權威標目的出現情況很複雜，如人名並不必然是代表
著者，如某人寫一本《黃春明的傳記》，另外一人寫一本《邱文祺的

傳記》，這時二本書的著者皆非黃春明，但是因爲這二本傳記事實上
講述的對象是一樣的，而透過人名權威標目的協助和指引，使用者可
以了解到此人有兩個可能的名稱，同時也可以一起發現這二本傳記。

表 4-6. DC 項目「簡述」之機讀權威記錄格式欄號匯集表

中國機讀權威記錄格式			
欄號	位址	指標	名稱
100 $a	8		權威標目情況
150 $a			政府機構類型
152 $a			編目規則
154 $a			劃一題名類型
200 $4			人名權威標目著作方式
200 $c			人名權威標目世代附註
200 $d			人名權威標目世代數
210 $4			團體名稱權威標目著作方式
210 $c			團體名稱權威標目世代附註
210 $d			團體名稱權威標目會議屆數
210 $h			團體名稱權威標目附註
220 $4			家族名稱權威標目著作方式
230 $h			劃一題名權威標目編次
230 $i			劃一題名權威標目編次名稱
230 $l			劃一題名權威標目形式副標題
230 $n			劃一題名權威標目附註
230 $p			劃一題名權威標目卷數
230 $q			劃一題名權威標目版本
230 $s			劃一題名權威標目作品號
230 $u			劃一題名權威標目調性

230 $v			劃一題名權威標目冊次號
230 $w			劃一題名權威標目編曲
235 $s			總集劃一題名權威標目作品號
235 $u			總集劃一題名權威標目調性
235 $w			總集劃一題名權威標目編曲
300 $a			權威標目一般註
305 $a+$b			權威標目參見之說明註
310 $a+$b			權威標目見之說明註
320 $a			權威標目說明參照註
330 $a			標目範圍註
675 $v			國際十進分類號(UDC)版本
676 $v			杜威十進分類號(DDC)版本
681 $v			中國圖書分類號(CCL)版本
801 $a+$b		2-0	原始權威記錄單位
801 $a+$b		2-1	輸入電子計算機單位
801 $a+$b		2-2	修改記錄單位
801 $a+$b		2-3	發行記錄單位
801 $c		2-0	原始權威記錄單位處理日期
801 $c		2-1	輸入電子計算機單位處理日期
801 $c		2-2	修改記錄單位處理日期
801 $c		2-3	發行記錄單位處理日期
810 $a			引用資料
810 $b			資料來源
815 $a			未查獲資料註
820 $a			使用註
825 $a			註記舉例
830 $a			編目員註
統計值	總計 47 項		

由欄號匯集表可以看出，分配入都柏林核心集簡述項目的中國機讀權威記錄格式資料，包括 1__代碼資料段、大多數 2__主標目段（除了標目主體）之項目、3__附註段、8__資料來源段等。

表 4-7. DC 項目「出版日期」之機讀權威記錄格式欄號匯集表

中國機讀權威記錄格式			
欄號	位址	指標	名稱
230 $k			出版日期
235 $k			出版日期
統計值	總計 2 項		

祇有二項的中國機讀權威記錄格式資料，分配入都柏林核心集的出版日期項目——劃一題名權威標目和總集劃一題名權威標目之出版日期。

表 4-8. DC 項目「資源識別代號」之機讀權威記錄格式欄號匯集表

中國機讀權威記錄格式			
欄號	位址	指標	名稱
015 $a			國際標準權威記錄號碼(ISADN)
050 $a			國立中央圖書館權威記錄系統識別號
099 $a			國家書目中心資料庫權威記錄系統識別號
統計值	總計 3 項		

由於國家圖書館（舊稱國立中央圖書館）是機讀權威記錄的主導

發展機構,而且機讀權威記錄的性質特殊,因此在此保留國立中央圖書館權威記錄系統識別號與國家書目中心資料庫權威記錄系統識別號,將其納入都柏林核心集的資源識別代號項目。

表 4-9. DC 項目「資源類型」之機讀權威記錄格式欄號匯集表

中國機讀權威記錄格式			
欄號	位址	指標	名稱
230 $b			資料類型標示
230 $t			音樂媒體
235 $b			資料類型標示
235 $t			音樂媒體
統計值	總計 4 項		

中國機讀權威記錄格式資料,分配入都柏林核心集的主題和關鍵詞項目祇有四項,而且非常單純。

表 4-10. DC 項目「關連」之機讀權威記錄格式欄號匯集表

中國機讀權威記錄格式			
	位址	指標	欄號
305 $b			權威標目參見
310 $b			權威標目見
400 $a+$b+$c+$d+ $f+$g+$s+$4+$x+ $y+$z			人名反見權威標目
410 $a+$b+$c+$d+ $e+$f+$g+$h+$s+			團體名稱反見權威標目

$4+$x+$y+$z			
415 $a+$x+$y+$z			地名反見權威標目
420 $a+$f+$4+$x+$y+$z			家族名稱反見權威標目
430 $a+$b+$h+$i+$k+$l+$m+$n+$p+$q+$s+$t+$u+$v+$w+$x+$y+$z			劃一題名反見權威標目
440 $1			著者/題名反見權威標目
445 $1			著者/總集劃一題名反見權威標目
450 $a+$x+$y+$z			主題反見權威標目
500 $a+$b+$c+$d+$f+$g+$s+$4+$x+$y+$z			人名反參見權威標目
510 $a+$b+$c+$d+$e+$f+$g+$h+$s+$4+$x+$y+$z			團體名稱反參見權威標目
515 $a+$x+$y+$z			地名反參見權威標目
520 $a+$f+$4+$x+$y+$z			家族名稱反參見權威標目
530 $a+$b+$h+$i+$k+$l+$m+$n+$p+$q+$s+$t+$u+$v+$w+$x+$y+$z			劃一題名反參見權威標目
540 $1			著者/題名反參見權威標目
545 $1			著者/總集劃一題名反參見權威標目
550 $a+$x+$y+$z			主題反參見權威標目
700 $a+$b+$c+$d+			人名連接權威標目

$f+$g+$s+$4+$x+ $y+$z			
710 $a+$b+$c+$d+ $e+$f+$g+$h+$s+ $4+$x+$y+$z			團體名稱連接權威標目
715 $a+$x+$y+$z			地名連接權威標目
720 $a+$f+$4+$x+ $y+$z			家族名稱連接權威標目
730 $a+$b+$h+$i+ $k+$l+$m+$n+$p+ $q+$s+$t+$u+$v+ $w+$x+$y+$z			劃一題名連接權威標目
740 $1			著者/題名連接權威標目
745 $1			著者/總集劃一題名連接權威標目
750 $a+$x+$y+$z			主題連接權威標目
統計值	總計 26 項		

　　由欄號匯集表可以看出，分配入都柏林核心集關連項目的中國機讀權威記錄格式資料，主要為 4__反見標目段、5__反參見標目段、7__連接標目段等。

表 4-11. DC 項目「語言」之機讀權威記錄格式欄號匯集表

中國機讀權威記錄格式			
欄號	位址	指標	名稱
230 $m			作品語文
235 $m			作品語文
統計值	總計 2 項		

　　一如前面的 DC 項目出版日期之機讀權威記錄格式欄號匯集表，祇有二項的中國機讀權威記錄格式資料，分配入都柏林核心集的語言項目——劃一題名權威標目和總集劃一題名權威標目之作品語文。

表 4-12. DC 項目「涵蓋時空」之機讀權威記錄格式欄號匯集表

中國機讀權威記錄格式			
欄號	位址	指標	名稱
160 $a			地區代碼
200 $f			生卒年代
200 $s			人名權威標目之朝代
200 $y			人名權威標目之地區複分
200 $z			人名權威標目之時代複分
210 $e			會議地點
210 $f			會議日期
210 $s			團體名稱權威標目之朝代
210 $y			團體名稱權威標目之地區複分
210 $z			團體名稱權威標目之時代複分
215 $y			地名權威標目之地區複分
215 $z			地名權威標目之時代複分
220 $f			家族年代
220 $y			家族名稱權威標目之地區複分
220 $z			家族名稱權威標目之時代複分
230 $y			劃一題名權威標目之地區複分
230 $z			劃一題名權威標目之時代複分
235 $y			總集劃一題名權威標目之地區複分
235 $z			總集劃一題名權威標目之時代複分

250 $y			主題權威標目之地區複分
250 $z			主題權威標目之時代複分
統計值	總計 21 項		

　　由上面欄號匯集表可以清楚看出，都柏林核心集之涵蓋時空項目，主要是容納各權威標目的地區和時代複分，這與都柏林核心集原本對此項目之設計是完全貼切的。

第三節　權威記錄課題探討

　　中國機讀權威記錄格式由於在設計理念上，與機讀編目格式是一致的，因此很多機讀編目格式的問題，也同樣呈現在機讀權威記錄格式，例如由卡片目錄檢索款目延伸而來的檢索點概念，所引起的資料重複問題，以下是作者對此問題的詳細分析和改進建議。

檢索點與資料重複

　　由於機讀權威記錄格式的設計，隱含卡片目錄一卡一標目的理念，無形中也假定檢索點為標目主體，這造成很多的資料重複，最明顯的證據可以在權威記錄和參照記錄上發現。以下作者直接引用《中國機讀權威記錄格式》一書中，在「格式使用」一節中，有關參照記錄上所使用的例子來說明。❼

---

❼　同❷，頁 8-9。

記錄 1：（參照記錄）
邱文祺
本館目錄採用著者本名：黃春明
200 $a 邱 $b 文祺
310 $a 本館目錄採用著者本名 $b 黃春明

記錄 2：（參照記錄）
黃大魚
本館目錄採用著者本名：黃春明
200 $a 黃 $b 大魚
310 $a 本館目錄採用著者本名 $b 黃春明

記錄 3：（權威記錄）
黃春明
不用別名：邱文祺
不用別名：黃大魚
200 $a 黃 $b 春明
400 $a 黃 $b 文祺
400 $a 黃 $b 大魚

　　由上面的二筆參照記錄和一筆權威記錄可以看出，從資訊含量而言，權威記錄已有其他二筆參照記錄的資訊，所以單單保留權威記錄即可，其他的二筆參照記錄是多餘。

　　從資訊檢索角度來看，若我們採用現代電腦檢索的觀念——「任何欄位資料都可檢索，除非聲明排除」，則單從權威記錄本身，已足以應付黃春明、邱文祺、黃大魚三種檢索方式，因此其他二筆參照記

錄是重複多餘的。

從資料重複角度來分析,機讀權威記錄的重複多餘率是相當驚人的,以下的表格可以來清楚呈現:

權威標目：反見標目	記錄的重複多餘百分比
1：1	50%
1：2	67%
1：3	75%
1：4	80%

從資料管理和異動而言,資料的重複往往造成資料管理上的困難,尤其是在資料異動時,最可能因為未能將所有相關部份資料同時更正,而造成資料彼此間不一致的現象。以上述例子而言,假若圖書館因為某種因素考量,決定改採「黃大魚」而非「黃春明」為權威標目,則按照原先中國機讀權威記錄格式的作法,則三筆記錄皆須要做適當的更動,若祇改動第 2 和 3 筆記錄,將使第 1 筆記錄與其他二筆記錄產生不一致的情形。

相反的,如果資料不重複,換言之,祇有第 3 筆的權威記錄存在,沒有其他二筆參照記錄,則上述的資料更動祇牽涉到一筆記錄,情況相當的單純,資料不一致的情形也無從產生。總而言之,作者認為此種類型的參照記錄皆應刪除。

權威標目與反參見標目

同一人之不同名稱間的參見關係,或者是同一機構在不同時期之

不同名稱間的參見關係❽，也有類似上述參照記錄的資料重複問題。

例如一個作者有二個（含）以上的常用名稱，而且都被使用時，常會利用參見方式來提醒讀者，下面是《中國機讀權威記錄格式》一書的一個例子。❾

記錄 1：（權威記錄）
柏楊
參見：郭衣洞
200 $a 柏楊
500 $a 郭 $b 衣洞

記錄 2：（權威記錄）
郭衣洞
參見：柏楊
200 $a 郭 $b 衣洞
500 $a 柏楊

由上面的二筆權威記錄可以發現，運用上面在權威記錄和參照記錄上同樣的分析方法，從資訊含量、資訊檢索、資料管理和異動等方面而言，保留其中任何一筆權威記錄即可，另外一筆權威記錄是多餘。

由於兩個權威標目處於同等地位，若是一個放在 2__主標目段，

---

❽ 例如交通部觀光局、交通部觀光事業局、交通部觀光事業委員會、交通部觀光事業小組，見❶，頁 104。

❾ 同❷，頁 101。

另外一個放在 5__反參見標目段，似乎也並不完全合理。作者以爲現行《中國機讀權威記錄格式》中，2__主標目段祇有在不同文字時才可重複的規定應予修改，可以採用都柏林核心集所有項目，均可因應事實需要來重複的精神，允許 2__主標目段的欄號也可以自由重複，如此一來，整個問題可以得到圓滿的解決。當然此種合併祇限於同一人，或者是機構之不同名稱間的參見關係，其他類型的參見關係可能並不適用，因此作者在此並沒有建議裁撤 5__反參見標目段。

不同語文標目與 7__連接標目段

根據《中國機讀權威記錄格式》中的定義，7__連接標目段使用時機爲❿

> 本段記載主標目段（2__）之並列或不同文字之標目，並連接至另一單獨之記錄，其連接標目段（7__）爲其權威標目。

由此定義可以清楚看出，7__連接標目段祇是應付標目之語文差異，再從下面《中國機讀權威記錄格式》的一個例子也可以清楚看出。（以下省略權威記錄號）⓫

---

❿　同❷，頁 119。
⓫　同❷，頁 121。

記錄 1：（權威記錄）
編目記錄爲中文
（明）鄭成功
100 $a 位址 9-11 = chi，位址 21-22 = ea
200 $s（明）$a 鄭 $b 成功
700 $7 ba $8 eng $a Cheng, $b Ch'eng-kung, $f 1642-1662.

記錄 2：（權威記錄）
編目記錄爲英文
Cheng, Ch'eng-kung, 1642-1662.
100 $a 位址 9-11 = eng，位址 21-22 = ba
200 $a Cheng, $b Ch'eng-kung, $f 1642-1662.
700 $7 ea $8 chi $s（明）$a 鄭 $b 成功

運用上面在權威記錄和參照記錄，與權威記錄間的參見關係上之分析方法，從資訊含量、資訊檢索、資料管理和異動等方面，來分析上面的二筆權威記錄，可以發現保留其中任何一筆權威記錄即可，另外一筆權威記錄是多餘。

同樣於上面權威記錄間參見關係的建議，由於兩個權威標目處於同等地位，若是一個放在 2__主標目段，另外一個放在 7__連接標目段，並不完全合理，同時也違背連接標目段的設計本意。因此較圓滿的解決方式，是採用都柏林核心集所有項目均可重複的精神，允許 2__主標目段的欄號也可以重複。同時最好配合取消欄號 100 $a 位址 9-11 和位址 21-22，代之以（7__連接標目段使用的）分欄 7 和 8。

如果再從實作的角度來分析，是否有必要因爲處理技術的限制和

使用者的便利，將不同語文的資料獨立成個別的記錄？作者認為答案都是否定的。

　　首先從處理技術的限制來看，過去或許由於技術的限制，在同時呈現兩種不同文字上，可能會遭遇到一些困難，例如在瀏覽器或者是文書軟體中，同時觀看中文與義大利文，但是隨著 Unicode 的逐漸落實與使用，這個問題將隨之消失，事實上，新一代的文書軟體，如微軟 Office 2000 中的 Word 2000 已經可以做到數種文字並存與同時呈現。即便是遷就現時的某些軟硬體設備，至少中文與英文是可以同時呈現，看不出有須要獨立成個別的記錄的需求。

　　事實上，都柏林核心集也祇要使用語言修飾詞，就可以很有效率來處理這種（內容相同之）文字差異，以下分別以 DC/HTML 和 DC/RDF 兩種模型來解說：

⑴ DC/HTML

　　例子：<meta name= "DC.Subject.人名權威標目" Lang= "zh-tw" content= "（明）鄭成功">。

　　　　　<meta name= "DC.Subject.人名權威標目" Lang= "en" content= "Cheng, Ch'eng-kung">。

⑵ DC/RDF

　　例子：<dc: subject>

　　　　　<rdf:Alt>

　　　　　　<rdf:li xml:lang="zh-tw">（明）鄭成功</rdf:li>。

　　　　　　<rdf:li xml:lang="en"> Cheng, Ch'eng-kung)</rdf:li>。

　　　　　</rdf:Alt>

　　　　　</dc:subject>

　　再從使用者的便利來看，不管是選擇呈現所有語文，或者是指定呈現特定的語文，利用前述的改良式機讀權威記錄格式和都柏林核心集，都可以輕易辦到。以都柏林核心集爲例，在 HTML 格式中，可以檢查 lang 來挑出想要的語文資料；在 RDF/XML 中，則有 rdf:Alt 的機制可以來使用。

第五章　結語與資料著錄的
未來趨勢

　　在二十世紀最後一個十年間，Web 的快速崛起，促使資訊傳播的結構產生劇變，也使得網頁成為非常重要的資訊來源，為了圖書館的永續經營，網頁的處理已是圖書館必然的選擇。

　　基於資源須有效與合理使用的認知，作者首先在第一章第三節「圖書與網頁合併處理」中，就圖書與網頁的分開或合併處理問題，從各種角度提出分析，結果顯示以都柏林核心集來合併處理圖書與網頁是可行的，也是較好的選擇（相對於以 MARC 來合併處理圖書與網頁）。

　　在定出以都柏林核心集來合併處理圖書與網頁的基調後，為了能夠保留原有圖書著錄的特性❶，不致產生削足適履的副作用，作者提出以編目規則手冊、機讀編目格式、與機讀權威記錄格式等三個到都柏林核心集的轉換對照表，作為三根支柱，來架構新圖書著錄舞臺於都柏林核心集的構想。

　　「機讀編目格式」與「權威記錄」這二根支柱，分別已經在《機讀編目格式在都柏林核心集的應用探討》和《都柏林核心集在

---

❶　請參閱本書第一章第三節中，所提及的三點實務考量。

UNIMARC 和機讀權威記錄格式的應用探討》中架設完成，因此在本書第二章中，繼續從事「編目規則」這第三根支柱的架設工作，從而完成了一個新的圖書著錄環境雛型。

如果架構一個新的舞臺，或是製作轉換對照表時，祇是全盤抄襲舊制，不能趁機去蕪存菁，則效果不彰。事實上，現有編目規則與機讀編目格式中，是存在某些重大的缺失，作者在第二章第一節「數位時代的著錄需求」中，特別引用吳瑠璃教授在《中國編目規則》修訂說明中的一段話來佐證。主要是提及現有的編目規則，仍然受到卡片目錄太大的影響，《中國編目規則》修訂版祇是暫時治標，需要另起爐灶才能治本，當然作者引用這段話的用意，祇在證實現有舊制存在重大的缺失的事實，並無其他任何的隱含暗示之意。

爲了去蕪存菁，和探討現存機制的缺失，作者特別在第二章、第三章、與第四章中，分別就現有編目規則、機讀編目格式、權威記錄等三者，較主要不合時宜的作法提出分析，舉如：

⑴編目規則中的標目與檢索款目。

⑵機讀編目格式中的檢索點、資料重複、欄號內資料過於龐雜、使用欄號取代欄位名。

⑶權威記錄中的不同標目資訊重複。

這些缺失的分析，也同時可以做爲作者不贊成以 MARC 來合併處理圖書與網頁的佐證。

爲了彌補作者在《機讀編目格式在都柏林核心集的應用探討》與《都柏林核心集在 UNIMARC 和機讀權威記錄格式的應用探討》二書中，分析與解釋不足的缺失。在本書第三章與第四章中，又特別從其他角度，來分析中國機讀編目格式（第四版）和中國機讀權威記錄格

式（民 83 年 12 月）。

此外在經過第三章第一節中，針對「中國機讀編目格式第三版與第四版差異對照」和「UNIMARC（1996）與中國機讀編目格式第三版欄號差異對照」分析後，發現第三版的中國機讀編目格式，與第四版和 UNIMARC 之間，仍然存在足以造成讀者不便與困擾的差異，因此特別針對第三版的中國機讀編目格式製作對照表，放在附錄一以供參考。

假如日後的演變證實作者的看法正確，則機讀格式（MARC）恐怕將在可預見的將來走入歷史。面對此一趨勢，圖書館界目前最主要的障礙，是心理與情感的調適問題，畢竟機讀格式已在圖書館界廣泛使用三、四十年，要圖書館員一下子放棄如此熟悉的東西，在心理和情感上，是須要一些時間來調適的。

最後，所有的新思潮或新技術，都必須通過市場的考驗，一軌制下以都柏林核心集來合併處理書目資料和網頁的構想亦然。不過同樣的不變真理是——研究者的職責在於探討各種可能的發展，最後經過綜合分析，提出自己對未來可能演變的臆測。一個優秀的研究者，是能夠早一步預測和看到時代的長期趨勢；但是時代的潮流，卻不可能因為個別研究者的「為」與「不為」而有所改變。

以下是作者從理論探討，與實際系統設計和書目資料處理個案（梵諦岡傳信大學中文館藏系統和施合鄭民俗文化基金會館藏系統）中，個人所歸納出的心得與體察出的時代趨勢。

第一節　資源描述的長期趨勢

　　以下作者就目前主要的兩種文字媒體──書籍與網頁❷，分析其目前的資料著錄現況，和可能的長期著錄趨勢。下面的分析主要從四個角度：數量、資料涵蓋面、處理方式、使用元資料種類來進行。

	圖書	網頁
資料涵蓋面	廣	窄
處理方式	圖書館員人工著錄	電腦利用全文檢索自動摘取
使用元資料種類	機讀編目格式	全文索引[1]
數量	相對少	相對多

[1] S. Weibel, R. Iannella, and W. Cathro, "The 4th Dublin Core Metadata Workshop Report," June 1997, <http://www.dlib.org/dlib/june97/metadata/06weibel.html>, p. 3.

　　就資料涵蓋面而言，一本書往往有數百頁，雖然不能說每頁的涵蓋面皆不同，但是書籍往往分成數章，每章中又再細分成數節，每節經常有其個自的主題，因此書籍的資料涵蓋面通常較大。換言之，書籍有如散彈槍，一打擊出去，往往在資料涵蓋面的靶上，形成一片的彈孔。

　　相反的，網頁的英文名稱為 Web page，因此無論從其中文或英文名稱來看，一個網頁約略有如書中的一頁，因此網頁的資料涵蓋面通常甚窄。換言之，網頁有如手槍，射擊出去，往往祇在資料涵蓋面的

---

❷　圖書是目前圖書館的主要館藏，而網頁可以說是網際網路上主要的網路資源。

靶上，形成一個彈孔。

　　所以就檢索系統嘗試找尋資料，來滿足讀者要求的難易度而言，網頁相對來說是較爲困難許多，這也是搜尋引擎有很高「垃圾」比率的部份原因，因爲搜尋引擎的主要處理對象是網頁。可是對以處理書籍爲主的圖書館自動化系統而言，就甚少聽聞有類似於搜尋引擎的高「垃圾」比率現象，因爲書籍資料涵蓋面廣，讀者在書中某一章節發現所需資料的機率較大。

　　書籍和網頁在資料涵蓋面先天上的差異，又被後天上的處理方式和使用資料格式給更進一步拉大。正常而言，對資料涵蓋面窄的網頁，應給予較精細的加工（描述），和較多的資訊，以提高其命中率；相反的，資料涵蓋面廣的書籍，相對來說就不須要太多的加工來提高其命中率，因爲在成本效益上可能是不划算的。

　　目前我們對兩者的處理方式，由於歷史等因素，剛好與上述的合理性相左。由於印刷媒體已出現千年以上，長久以來必須倚靠人工處理，更隨著時間與經驗的逐漸累積，在處理上越來越精細，附加的資訊（欄位）也越來越豐富。發展至今，圖書是由專業的資料描述人員（圖書館員）來加工，使用的資料格式——機讀編目格式，以中國機讀編目格式第四版而言，光是欄位就已經超過一百個，若是加上分欄，其附加資訊可達數百（雖然實際上使用的附加資訊量遠低於此）。

　　就網頁而言，出現於 1990 年左右，此時電腦和網際網路已非常發達和普及，人們自然會想到利用電腦來處理，因此全球資訊網盛行時，第一個用來檢索網頁的工具是搜尋引擎，它以全文檢索的技術爲主，由於全文檢索採用電腦自動斷字詞的方式，有「一網打盡」的特

色，其副作用是精確率低。另外搜尋引擎所附加的其他資訊也甚少，大概祇有 URL、日期、篇名、檔案大小、網頁的第一或二個句子等。

從以上的分析不難看出，以資料涵蓋面來看，圖書已經是過度加工，其長期的合理趨勢應該是逐漸裁減其附加資訊，以較簡單的元資料格式，如都柏林核心集，來取代複雜的機讀編目格式。

網頁由於其數量過於龐大，雖然須要較精細的加工，但是卻無法單獨依靠圖書館員來處理，可是目前的機器智慧技術，又無法創造出合乎品質的附加資訊，因此大多數須要透過「作者著錄」的方式，由網頁的創造者自行著錄。因為網頁的創造者並非專業的資料描述人員，自然不可能要求其使用複雜的機讀編目格式，所以較合理的作法，也是使用較簡單的元資料格式，如都柏林核心集。由目前電子圖書館（或是數位圖書館）和搜尋引擎領域的研究者，越來越重視元資料，尤其是都柏林核心集，更可以印證以上對資源描述長期趨勢的分析。

第二節　著錄的模擬介面

雖然曾在前面的章節中分析說，由於圖書或是類文件物件的網頁，都是以文字為基礎，因此可以利用都柏林核心集，來設法將兩者的資料著錄和管理整合在一起。但是這並不意謂著，直接以都柏林核心集的 15 個欄位名稱，來進行圖書著錄是合宜的，因為當初都柏林核心集是設計用來處理網際網路上的資源（例如網頁），而非印刷媒體的圖書，然而圖書與類文件物件的網頁是各自有其特色。

舉例來說，對都柏林核心集不十分熟悉的圖書館編目人員，如果

使用圖 5-1 的輸入介面來進行編目工作，大概都會覺得不適應，和某些書目資料不知擺在何處的困擾。究其原因，一方面是對都柏林核心集某些欄位的術語感到陌生，一方面是都柏林核心集本非專門針對紙本圖書著錄來設計，所以有些書目資料與都柏林核心集看似並無直接關聯，雖說如此，作者在此也必須強調一點，這個缺失在經過適當安

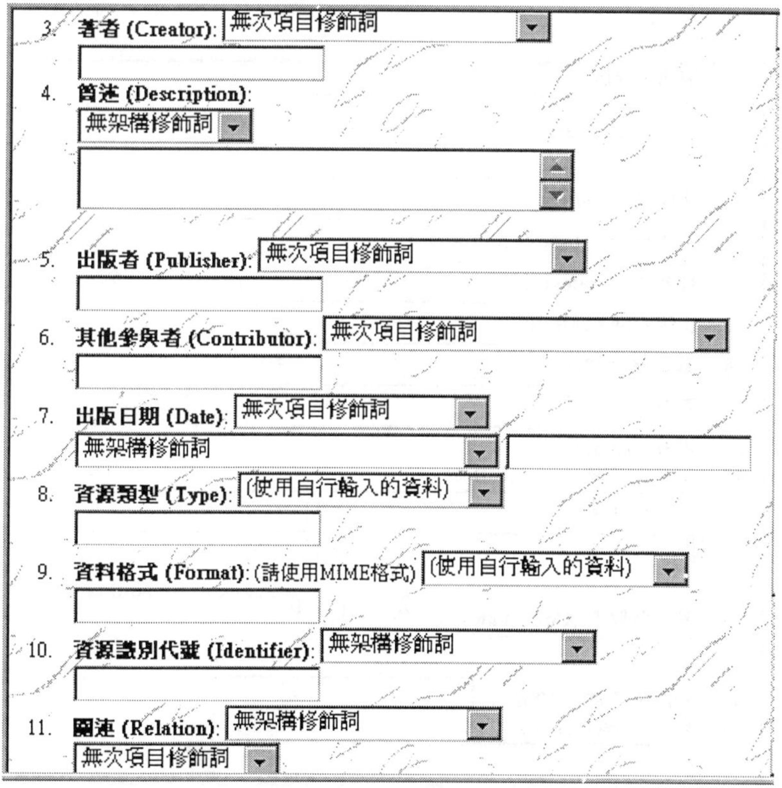

圖 5-1. 都柏林核心集原始欄位部分畫面

排後，是可以來解決的，正如作者在《機讀編目格式在都柏林核心集的應用探討》一書中，製作之中國機讀編目格式到都柏林核心集的對照表所展示的，轉換對照後，不但保留了都柏林核心集原有的架構，整個書目資訊的損失也非常低。

　　相反的，如果引進電腦「模擬介面」的概念，以圖書館員熟悉的術語和工作方式來佈置如圖 5-2 的模擬著錄畫面，則絕大部份的圖書

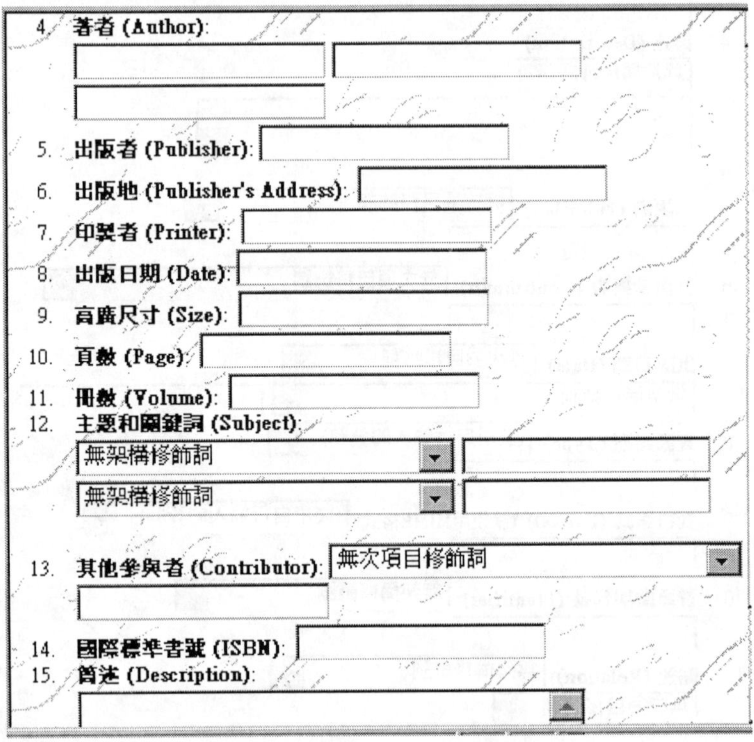

圖 5-2. 圖書館模擬介面部分畫面

館員都能輕易使用，而不必非要了解都柏林核心集不可。這種想法也在作者曾經進行過的一次實驗中獲得初步的證實，研究生所訪談受測的四個現任或曾經擔任過編目館員，在同時使用過兩種畫面後，都覺得直接使用都柏林核心集原始著錄畫面（圖 5-1）是有困難的，即便旁邊有熟悉都柏林核心集的研究生加以解說。相反的，對於圖 5-2 的著錄介面，則表示可以很快上手和操作。

雖然我們強調使用模擬介面的好處和必要性，但這並不意謂前面章節中所製作的編目規則條文對照表就不重要或者多餘的；相反的，此種條文對照表非常重要，因為它是模擬介面的基礎，有了條文對照表，才能知道如何將模擬介面中的資料項，對映到系統所使用資料格式的適當項目中。

第三節　資料著錄與資料格式分離

從上述模擬介面概念的進一步延伸，就是「資料著錄與資料格式分離」（Seperation of Cataliging and Format，簡稱 SOCAF）的概念，或是「編目規則獨立於資料格式」的概念，因為所謂的編目規則，其實就是資料著錄（或描述）時所遵循的規則，以達標準化的目的❸。兩者分離的最大的好處，是避免兩者的發展互相干擾，產生不必要的連鎖互動，造成糾纏不清的「連體嬰效應」，因而妨礙兩者的獨立發展。

舉例來說，作者認為今日機讀編目格式中，仍然可以發現很多卡

❸　黃淵泉，中文圖書分類編目學（臺北市：學生書局，民 85 年 4 月），頁 56。

片目錄的痕跡，使得機讀編目格式有很多怪異的現象和不必要的複雜，就是這種「連體嬰效應」所造成的。其原因是因為在電腦發明前，圖書館在長時間使用卡片目錄後，不自覺且很自然的將編目規則和卡片目錄格式揉合在一起，一直到今日我們依然可以很清晰的在編目規則中，發現卡片目錄格式的影子，例如《中國編目規則》修訂版中，編號 1.0.3 的許多標點符號規定、編號 1.0.4.1 簡略著錄與編號 1.0.4.2 標準著錄排列形式、乙編的標目，皆是很明顯的例子。正因為編目規則中揉合了許多卡片目錄的格式特性，連帶使配合編目規則的機讀編目格式，在設計上也滲入一些卡片目錄才需要的考慮和作法。

這種編目工作與資料格式糾葛不清的現象，又再一次發生在現今的機讀編目格式上。不僅絕大多數的圖書館自動化系統的著錄畫面，都是直接以機讀編目格式的欄號（Tag）來顯示；眾多探討編目的書籍，也是直接以機讀編目格式的欄號來解說或舉例；一般的圖書館編目人員，更是直接以依據機讀編目格式來進行編目工作，而非翻閱《中國編目規則》。

這種將不同性質予以分離的概念，在電腦科學中一再被採用來提升學術的發展和增加資料處理的能力。以下作者列舉在電腦網路、資料庫、元資料中的實例，來舉證切斷「連體嬰效應」來相互獨立的好處。

在電腦網路中經常被用來做為理論模型的 OSI（Open Systems Interconnection）七層模型即是一例❹，此模型將所有網路相關的功能

---

❹　W. A. Shay, *Understanding Data Communications and Networks*, (Boston, MA: PWS Publishing Company, 1995), pp. 17-18.

按其性質組成七類——實體層、資料鏈結層、網路層、傳輸層、交談層、展示層、應用層。例如以網際網路上使用的 TCP/IP 通訊協定而言，TCP 通訊協定按其功能是屬於傳輸層，IP 通訊協定則歸於傳輸層。經過分層後，研究者或是廠商可以專心開發和測試針對某層的協定和產品，而不同網路協定和產品，也可藉此分層的理論模型來了解彼此間如何來搭配。因此雖然眞正按照 OSI 理論模型來開發的產品並不多，但是 OSI 模型卻是幾乎被所有的電腦網路教科書，用來做為理論講解的模型。

在電腦的資料庫（非圖書館界所常指如 LISA 那種資料庫）發展中亦可發現實例，在資料庫（如 Oracle、SQL Server 等）大行其道前，商業上的應用軟體大都是以 COBOL 程式語言來建立的檔案系統為主❺，換言之，由個別程式來直接管理其所屬的檔案。可是同一系統中的許多程式，其檔案中的一部分資料可能會重覆，例如一個假想的學生成績處理系統，可能有一個程式處理學生的基本資料，一個程式處理學生的選課，一個程式做學生的成績計算工作，而這三個程式都會有如學生姓名和學號等資料，於是產生資料重複的問題，而資料重複不僅造成儲存空間的浪費，更容易產生資料不一致的現象。因此此種程式與檔案相互結合的系統，有以下的缺失：無法控制的重複、資料的矛盾、缺乏彈性、資料不易分享、沒有標準、程式產量低、大量的程式維護工作等。❻

---

❺　G. B. Shelly, et.al., *Discovering Computers 98: A Link to the Future* (International Thomson Publishing: cambridge, Massachusetts, 1998), p. 12.38.

❻　C. J. Date 編著，資料庫系統概論（An Introduction to Database Systems），黃加佩譯（臺北市：儒林，1997 年 3 月），頁 1-17～1-20。

資料庫在理論概念上的改變，是將程式與資料分離，將資料統一集中管理，程式則透過一個標準的介面或方式（例如 SQL 查詢語言），來取得所須資料。一來程式與資料不再糾纏不清，也減輕程式的負擔；再者資料庫統一集中管理資料後，可以消除重複的資料，避免資料不一致的現象產生；最後程式與資料分離後，祇要介面不變，兩者可個自發展，不會造成連鎖效應，而有變動頻繁的現象。

在元資料的發展中也可以見到此種趨勢，除了元資料本身外，另外兩個與其密切相關的為語意模型與語法模型，在最近元資料相關文獻中頗為熱門的 RDF（Resource Description Framework）❼即是語意模型，而 XML ❽則為語法模型。三者雖然密切相關，但是依其性質和所扮演角色的不同，卻是相互獨立成三個領域來個自發展。其好處是可以免除「連體嬰效應」，例如以前都柏林核心集是使用 HTML（語法模型中的一種）來呈現，不久以後可能會改使用 XML 來搭配，此時都柏林核心集本身，並不須要因為改變使用的語法模型來跟著改變。這種分離單純化的好處是顯而易見的，各個領域能自行就其角色來發展，而無須考量不相干的因素或受到其干擾和拖累。再者可以增加彈性，例如都柏林核心集可以就其應用的場合，來自由選擇適當的語法模型。

以上列舉例證中的好處，也同樣適用於編目規則（或者資料著

---

❼ O. Lassila and R. R. Swick, "Resource Description Framework (RDF) Model and Syntax Specification," 22 Feb. 1999, <http://www.w3.org/TR/1999/REC-rdf-syntax-19990222>.

❽ T. Bray, J. Paoli, and C. M. Sperberg-McQueen, "Extensible Markup Language (XML) 1.0," 10 Feb. 1998, <http://www.w3.org/TR/REC-xml>.

錄）獨立於資料格式的作法。因為當資料描述與媒體格式分離後，資料描述可以專致於研究如何揭示資料的內容和各式特徵（或屬性），來達成協助資料檢索和管理的目的。同樣的，當資料格式隨著科技的進步而改變時，例如從卡片目錄到機讀編目格式，再演變到都柏林核心集，資料著錄不必隨之起舞而作大幅度的調整，如此一來圖書館的專業人士，可以更專心發展自己的學科理論與專業。

附錄一　中國機讀編目格式（第三版）到都柏林核心集對照表

以下中國機讀編目格式第三版到都柏林核心集的轉換對照表，其製作方法和符號使用的簡要說明，請參見《都柏林核心集在 UNIMARC 和機讀權威記錄格式的應用探討》一書中的第二章，作者僅在此敘述兩者間的差異。

為節省篇幅，本書中將祇列出表格，而省略前書中表格後的說明與解釋，因應此種調整，以下的表格中，也將會列出機讀編目格式中被省略的欄號或分欄。

如同前面對機讀編目格式資料重複情況所做的分析，基本上 1__代碼資料段與 7__著者段，與其他段資料重複甚多，其它如 3__附註段和 6__主題分析段，也存在有資料重複的情形。但由於以下祇有列出表格，因此無法就每一欄號來討論，再者，詳細分析和討論機讀編目格式中，每一欄號間的可能重複情形，並非本書的重點。所以在下面表格中，1__代碼資料段與 7__著者段的欄號仍然予以對照，但在實際資料轉換時，可以視情況予以省略，以避免資料重複太多。至於欄號間可能的重複情形，讀者請參考《中國機讀編目格式》第三版中「相

關欄位」的說明，以及《都柏林核心集在 UNIMARC 和機讀權威記錄格式的應用探討》一書中第二章表格後的說明與解釋。

　　至於表格直接使用 Encoding Scheme Qualifier 和 Element Refinement Qualifier 的原因，請參見本書第二章第四節中，對表 2-3「中國編目規則簡略著錄（圖書）著錄項目對照表」的相關說明。

0__識別段

表 A-1. 中國機讀編目格式（第三版）0__識別段欄號的對照表

中國機讀編目格式			都柏林核心集		
				修飾詞[1]	
欄位	位址	指標	欄位	Encoding Scheme Qualifier[2]	Element Refinement Qualifier[3]
001			*		
005			*		
009			*		
010 $a			資源識別代號 (Identifier)	國際標準書號 (ISBN)	
010 $b			簡述 (Description)		裝訂
010 $d			簡述 (Description)		發行方式/價格
010 $z			資源識別代號 (Identifier)	國際標準書號 (ISBN)	國際標準書號錯誤碼

011 $a			資源識別代號 (Identifier)	國際標準叢刊號(ISSN)	
011 $b			簡述 (Description)		裝訂
011 $d			簡述 (Description)		發行方式/價格
011 $y			資源識別代號 (Identifier)	國際標準叢刊號(ISSN)	國際標準叢刊號取消碼
011 $z			資源識別代號 (Identifier)	國際標準叢刊號(ISSN)	錯國際標準叢刊號誤碼
020			*		
021 $b			資源識別代號 (Identifier) [4]	{$a}	送繳編號
021 $z			資源識別代號 (Identifier)	{$a}	送繳編號錯誤碼
022 $b			資源識別代號 (Identifier) [4]	{$a}	官書編號
022 $z			資源識別代號 (Identifier)	{$a}	官書編號錯誤碼
025 $a			資源識別代號 (Identifier)	{$b}	銷售號
025 $z			資源識別代號 (Identifier)	{$b}	銷售號錯誤碼
040 $a			資源識別代號 (Identifier)	叢刊代號 (CODEN)	
040 $z			資源識別代號 (Identifier)	叢刊代號 (CODEN)	錯誤碼
042			*		

| 050 | | | * | | 出版者資料編 |
| 071 \$a | | | 資源識別代號
(Identifier) | {\$b} | 號 |

[1] 請參閱本節簡略著錄（圖書）著錄項目對照表前的說明

[2] 相當於 DC5 使用的 Scheme Qualifier

[3] 相當於 DC5 使用的 Subelement Qualifier

[4] 可將分欄 a 加小括號置於編號之前

* 代表省略欄位

1__代碼資料段

表 A-2. 中國機讀編目格式（第三版）1__代碼資料段欄號的對照表

中國機讀編目格式				都柏林核心集	
				修飾詞[1]	
欄位	位址	指標	欄位	Encoding Scheme Qualifier[2]	Element Refinement Qualifier[3]
100 \$a	0-7		*		
100 \$a	8		簡述 (Description)		出版情況
100 \$a	9-16		*		
100 \$a	17-19		簡述 (Description)		適用對象
100 \$a	20		資源類型 (Type)		
100 \$a	21		*		
100 \$a	22-24		[4]		

100 $a	25			
100 $a	26-33		4	
100 $a	34		*	
101 $a			語言 (Language)	
101 $b			簡述 (Description)	翻譯來源語文
101 $c			簡述 (Description)	原文
101 $d			簡述 (Description)	提要語文
101 $e			簡述 (Description)	目次語文
101 $f			簡述 (Description)	題名頁語文
101 $g			*	
101 $h			簡述 (Description)	歌詞語文
101 $i			簡述 (Description)	附件語文
101 $j			簡述 (Description)	影片字幕語文
102 $a			出版者 (Publisher)	出版地
102 $b			*	
102 $c			*	

105 $a	0-3		簡述 (Description)		插圖
105 $a	4-7		資源類型 (Type)		
105 $a	8		資源類型 (Type)		
105 $a	9		資源類型 (Type)		
105 $a	10		簡述 (Description)		
105 $a	11		資源類型 (Type)		
105 $a	12		資源類型 (Type)		
106 $a			資料格式 (Format)		
110 $a	0		資源類型 (Type)		
110 $a	1		簡述 (Description)		刊期
110 $a	2		簡述 (Description)		
110 $a	3		資源類型 (Type)		
110 $a	4		資源類型 (Type)		
110 $a	5		資源類型 (Type)		

110 $a	6		資源類型 (Type)		
110 $a	7		資源類型 (Type)		
110 $a	8		*		
110 $a	9		簡述 (Description)		索引來源
110 $a	10		簡述 (Description)		
115 $a	0		資源類型 (Type)		
115 $a	1-3		資料格式 (Format)		長度
115 $a	4		資料格式 (Format)		
115 $a	5		資料格式 (Format)		
115 $a	6		資源類型 (Type)		
115 $a	7		資料格式 (Format)		
115 $a	8		資源類型 (Type)		
115 $a	9		資源類型 (Type)		
115 $a	10		資料格式 (Format)		顯像形式

115 $a	11-14		簡述 (Description)		附件
115 $a	15		資源類型 (Type)		
115 $a	16		資料格式 (Format)		
115 $a	17		簡述 (Description)		影片基底質料
115 $a	18		簡述 (Description)		影片外框質料
115 $a	19		資料格式 (Format)		掃瞄線密度
115 $b	0		簡述 (Description)		
115 $b	1		簡述 (Description)		
115 $b	2		資料格式 (Format)		
115 $b	3		資料格式 (Format)		
115 $b	4		簡述 (Description)		影片基底質料
115 $b	5		資料格式 (Format)		
115 $b	6		資料格式 (Format)		影片種類
115 $b	7		簡述 (Description)		破損程度

115 $b	8	簡述 (Description)		影片內容完整 程度
115 $b	9-14	簡述 (Description)		影片檢查日期
116 $a	0	資源類型 (Type)		
116 $a	1	簡述 (Description)		作品資料
116 $a	2	簡述 (Description)		外框資料
116 $a	3	資料格式 (Format)		
120 $a	0	資料格式 (Format)		
120 $a	1	簡述 (Description)		
120 $a	2	簡述 (Description)		
120 $a	3-6	資料格式 (Format)		
120 $a	7-8	資料格式 (Format)		
120 $a	9-12	涵蓋時空 (Coverage)		X.Min
121 $a	0	資料格式 (Format)		
121 $a	1-2	簡述 (Description)		地圖來源影像

121 $a	3-4	簡述 (Description)		地圖材質
121 $a	5	簡述 (Description)		製圖技術
121 $a	6	簡述 (Description)		地圖複製方法
121 $a	7	資料格式 (Format)		地圖大地平差法
121 $a	8	簡述 (Description)		地圖出版形式
121 $b	0	資料格式 (Format)		感測器高度
121 $b	1	資料格式 (Format)		感測器角度
121 $b	2-3	資料格式 (Format)		遙測光譜段數
121 $b	4	簡述 (Description)		
121 $b	5	資料格式 (Format)		雲量
121 $b	6-7	資料格式 (Format)		地面解像平均值
122 $a		涵蓋時空 (Coverage)		時間年代
123 $a		資料格式 (Format)		
123 $b		資料格式 (Format)		水平比例尺

123 $c			資料格式 (Format)		垂直比例尺
123 $d			涵蓋時空 (Coverage)	DMS	X.Max
123 $e			涵蓋時空 (Coverage)		X.Min
123 $f			涵蓋時空 (Coverage)		Y.Min
123 $g			涵蓋時空 (Coverage)		Y.Max
123 $h			資料格式 (Format)		角比例尺
123 $i			涵蓋時空 (Coverage)	赤緯	Y.Min
123 $j			涵蓋時空 (Coverage)	赤緯	Y.Max
123 $k			涵蓋時空 (Coverage)	赤經	X.Min
123 $m			涵蓋時空 (Coverage)	赤經	X.Max
123 $n			資料格式 (Format)		天體圖畫夜平 分點
124 $a			資源類型 (Type)		
124 $b			資源類型 (Type)		
124 $c			資料格式 (Format)		顯像技術

124 \$d			簡述 (Description)		地圖載台位址
124 \$e			簡述 (Description)		地圖衛星種類
124 \$f			簡述 (Description)		地圖衛星名稱
124 \$g			資料格式 (Format)		地圖錄製技術
125 \$a	0		資源類型 (Type)		
125 \$a	1		簡述 (Description)		
125 \$b			簡述 (Description)		音樂資料內容
126 \$a	0		簡述 (Description)		發行型式
126 \$a	1		資料格式 (Format)		錄音速度
126 \$a	2		資料格式 (Format)		聲道類型
126 \$a	3		資料格式 (Format)		唱片紋寬
126 \$a	4		資料格式 (Format)		唱片直徑
126 \$a	5		資料格式 (Format)		錄音帶寬度
126 \$a	6		資料格式 (Format)		錄音帶音軌

126 $a	7-12	簡述 (Description)		音樂文字附件
126 $a	13	資料格式 (Format)		錄製技術
126 $a	14	資料格式 (Format)		複製特性
126 $b	0	簡述 (Description)		
126 $b	1	簡述 (Description)		質料
126 $b	2	簡述 (Description)		錄音槽切割形式
127 $a		資料格式 (Format)		演奏時間
128 $a		資源類型 (Type)		
128 $b		簡述 (Description)		合奏樂器
128 $c		簡述 (Description)		獨奏樂器
129 $a	0	資料格式 (Format)		拓片形式
129 $a	1	簡述 (Description)		拓製方法
129 $a	2-3	簡述 (Description)		拓片資料
129 $a	4	資料格式 (Format)		拓片書體

129 $a	5		資料格式 (Format)		拓片文體
129 $a	6		資料格式 (Format)		拓片墨色
130 $a	0		資源類型 (Type)		
130 $a	1		資料格式 (Format)		微縮片極性
130 $a	2		資料格式 (Format)		大小尺寸
130 $a	3		資料格式 (Format)		縮率
130 $a	4-6		資料格式 (Format)		閱讀放大倍率
130 $a	7		資料格式 (Format)		色彩
130 $a	8		簡述 (Description)		軟片感光乳劑
130 $a	9		簡述 (Description)		軟片版類別
130 $a	10		簡述 (Description)		軟片基底
131 $a			資料格式 (Format)		地圖球形體
131 $b			資料格式 (Format)		地圖水平基準面
131 $c			資料格式 (Format)		地圖主要網格與座標系統

131 $d			資料格式 (Format)	地圖重疊與座標系統
131 $e			資料格式 (Format)	地圖次級網格與座標系統
131 $f			資料格式 (Format)	地圖垂直基準面
131 $g			資料格式 (Format)	地圖高層測量單位
131 $h			資料格式 (Format)	地圖等高線間距
131 $i			資料格式 (Format)	地圖助曲線間距
131 $j			資料格式 (Format)	地圖深海測量單位
131 $k			資料格式 (Format)	地圖等深線間距
131 $l			資料格式 (Format)	地圖助等深線間距
135 $a	0		資源類型 (Type)	

[1]　請參閱本節簡略著錄（圖書）著錄項目對照表前的說明

[2]　相當於 DC5 使用的 Scheme Qualifier

[3]　相當於 DC5 使用的 Subelement Qualifier

[4]　據以設定都柏林核心集的語言修飾詞

＊　代表省略欄位

2__著錄段

表 A-3. 中國機讀編目格式（第三版）2__著錄段欄號的對照表

中國機讀編目格式			都柏林核心集		
				修飾詞[1]	
欄位	位址	指標	欄位	Encoding Scheme Qualifier[2]	Element Refinement Qualifier[3]
200 $a+$e			題名(Title)		正題名
200 $c			題名(Title)		正題名
200 $d			題名(Title)	{$z}	並列題名
200 $f			著者(Creator)		姓名或公司名稱
200 $g			著者(Creator)		姓名或公司名稱
200 $h			簡述(Description)		編次
200 $i			簡述(Description)		編次名稱
200 $p			簡述(Description)		卷數
200 $v			簡述(Description)		冊次號
200 $r			題名(Title)	羅馬拼音	正題名
204 $a			資源類型(Type)		
205 $a			簡述(Description)		版本

205 $b		簡述 (Description)		版本
205 $d		簡述 (Description)		版本
205 $f		其他參與者 (Contributor)		
205 $g		其他參與者 (Contributor)		
206 $a		資料格式 (Format)		製圖細節
207 $a		簡述 (Description)		連續性出版品 卷期編次
207 $z		簡述 (Description)		連續性出版品 卷期編次來源
208 $a		資源類型 (Type)		
208 $d		資源類型 (Type)		
209 $a		資料格式 (Format)		
210 $a+$b		出版者 (Publisher)		出版地
210 $c		出版者 (Publisher)		
210 $d		出版日期 (Date)		
210 $e+$f		簡述 (Description)		印製地
210 $g		簡述 (Description)		印製者

210 \$h			出版日期 (Date)		印製日期
211 \$a			出版日期 (Date)		預定出版日期
215 \$a			資料格式 (Format)		稽核資料(數量)
215 \$c			資料格式 (Format)		
215 \$d			資料格式 (Format)		尺寸
215 \$e			簡述 (Description)		附件
225 \$a+\$e			題名(Title)		集叢正題名
225 \$d			題名(Title)	{\$z}	集叢並列題名
225 \$f			著者(Creator)		集叢著者
225 \$h			簡述 (Description)		集叢編次
225 \$i			簡述 (Description)		集叢編次名稱
225 \$v			簡述 (Description)		集叢號
225 \$x			資源識別代號 (Identifier)	國際標準叢刊號(ISSN)	
225 \$r			題名(Title)	羅馬拼音	集叢正題名

1 請參閱本節簡略著錄（圖書）著錄項目對照表前的說明

2 相當於 DC5 使用的 Scheme Qualifier

3 相當於 DC5 使用的 Subelement Qualifier

* 代表省略欄位

3＿附註段

　　由於 3＿附註段中各欄號的分欄 $u，其內容與分欄 $a 相同，用途主要是以英文來敘述，以便利國際書目交換之用。爲了避免資料重複，因此將分欄 $u 省略。

表 A-4. 中國機讀編目格式（第三版）3＿附註段欄號的對照表

中國機讀編目格式			都柏林核心集		
				修飾詞 [1]	
欄位	位址	指標	欄位	Encoding Scheme Qualifier [2]	Element Refinement Qualifier [3]
300 $a			簡述 (Description)		
300 $u			*		
301 $a			資源識別代號 (Identifier)		
301 $u			*		
302 $a			資源類型 (Type)或語言 (Language)		
302 $u			*		
303 $a			簡述 (Description)		著錄依據
303 $u			*		
304 $a			簡述 (Description)		題名與著者附註

304 $u			*		
305 $a			簡述 (Description)		版本
305 $u			*		
306 $a			簡述 (Description)		出版附註
306 $u			*		
307 $a			簡述 (Description)		稽核項附註
307 $u			*		
308 $a			簡述 (Description)		集叢附註
308 $u			*		
310 $a			簡述 (Description)		
310 $u			*		
311 $a			關連(Relation)		
311 $u			*		
312 $a			題名(Title)		其他題名
312 $u			*		
314 $a			簡述 (Description)		著者附註
314 $u			*		
315 $a			簡述 (Description)、 資料格式 (Format)、資 源類型(Type)		

315 $u			*		
316 $a			簡述 (Description)		卷數
316 $u			*		
320 $a			簡述 (Description)		
320 $u			*		
321 $a			簡述 (Description)		
321 $u			*		
322 $a			其他參與者 (Contributor)		製作者
322 $u			*		
323 $a			其他參與者 (Contributor)		演出者
323 $u			*		
324 $a			簡述 (Description)		版本
324 $u			*		
326 $a			簡述 (Description)		刊期
326 $u			*		
327 $a			簡述 (Description)		
328 $a			簡述 (Description)		學位論文註
328 $u			*		

330 $a			簡述 (Description)		摘要
330 $u			*		
333 $a			簡述 (Description)		適用對象
333 $u			*		
336 $a			資料格式 (Format)		
336 $u			*		
337 $a			資料格式 (Format)		
337 $u			*		
339 $a			簡述 (Description)		館藏
339 $u			*		
345 $a+$b +$c+$d+$p +$d			簡述 (Description)		採訪資料
345 $u			*		

[1] 請參閱本節簡略著錄（圖書）著錄項目對照表前的說明

[2] 相當於 DC5 使用的 Scheme Qualifier

[3] 相當於 DC5 使用的 Subelement Qualifier

* 代表省略欄位

4__連接款目段

表 A-5. 中國機讀編目格式（第三版）4__連接款目段欄號的對照表

中國機讀編目格式			都柏林核心集		
				修飾詞[1]	
欄位	位址	指標	欄位	Encoding Scheme Qualifier[2]	Element Refinement Qualifier[3]
410			*		
411			關連(Relation)		附屬集叢
421			關連(Relation)		補篇
422			關連(Relation)		本篇
423			關連(Relation)		合刊
430			關連(Relation)		繼續
431			關連(Relation)		衍自
434			關連(Relation)		合併
435			關連(Relation)		部份合併
436			關連(Relation)		合併
440			關連(Relation)		改名
441			關連(Relation)		部份衍成
444			關連(Relation)		併入
445			關連(Relation)		部份併入
446			關連(Relation)		衍成
447			關連(Relation)		多種合併
448			關連(Relation)		改名
451			關連(Relation)		其他版本
452			關連(Relation)		其他媒體

453			來源(Source)		譯作
454			來源(Source)		譯自
461			*		
462			*		
463			*		
464			*		
488			*		

[1] 請參閱本節簡略著錄（圖書）著錄項目對照表前的說明

[2] 相當於 DC5 使用的 Scheme Qualifier

[3] 相當於 DC5 使用的 Subelement Qualifier

* 代表省略欄位

5__相關題名段

表 A-6. 中國機讀編目格式（第三版）5__相關題名段欄號的對照表

中國機讀編目格式			都柏林核心集		
欄位	位址	指標	欄位	修飾詞 [1]	
				Encoding Scheme Qualifier [2]	Element Refinement Qualifier [3]
500 $a			題名(Title)		劃一題名
500 $a+$l			題名(Title)		劃一題名
500 $a+$u			題名(Title)		劃一題名
500 $h			簡述 (Description)		劃一題名編次
500 $i			簡述 (Description)		劃一題名編次 名稱

500 \$k			出版日期 (Date)		劃一題名出版 日期
500 \$m			語言 (Language)		劃一題名作品 語文
500 \$n			簡述 (Description)		
500 \$p			簡述 (Description)		劃一題名卷數
500 \$q			簡述 (Description)		劃一題名版本
500 \$s			簡述 (Description)		劃一題名作品 號
500 \$t			*		
500 \$u			簡述 (Description)		劃一題名調性
500 \$v			簡述 (Description)		劃一題名冊次 號
500 \$w			簡述 (Description)		劃一題名編曲
500 \$a+\$x			主題和關鍵詞 (Subject)	{\$2}	
500 \$y			涵蓋時空 (Coverage)	{\$2}	劃一題名地理 名稱
500 \$z			涵蓋時空 (Coverage)	{\$2}	劃一題名時期 名稱
500 \$3			簡述 (Description)		劃一題名權威 記錄號碼
500 \$r			題名(Title)	羅馬拼音	劃一題名

501 $a+$e			題名(Title)		總集劃一題名
501 $a+$u			題名(Title)		總集劃一題名
501 $k			出版日期 (Date)		總集劃一題名 出版日期
501 $m			語言 (Language)		總集劃一題名 作品語文
501 $s			簡述 (Description)		總集劃一題名 作品號
501 $t			*		
501 $w			簡述 (Description)		總集劃一題名 編曲
501 $a+$x			主題和關鍵詞 (Subject)	{$2}	
501 $y			涵蓋時空 (Coverage)	{$2}	總集劃一題名 地理名稱
501 $z			涵蓋時空 (Coverage)	{$2}	總集劃一題名 時期名稱
501 $3			簡述 (Description)		總集劃一題名 權威記錄號碼
501 $r			題名(Title)	羅馬拼音	總集劃一題名
503 $a+$b			主題和關鍵詞 (Subject)		劃一習用標目
503 $a+$k			主題和關鍵詞 (Subject)		劃一習用標目
503 $a+$l			主題和關鍵詞 (Subject)		劃一習用標目
503 $a+$h +$e+$f			主題和關鍵詞 (Subject)		劃一習用標目

503 $a+$n			主題和關鍵詞 (Subject)		劃一習用標目
503 $j+$d			出版日期 (Date)		劃一習用標目
503 $i			題名(Title)		劃一習用標目
503 $m			涵蓋時空 (Coverage)		劃一習用標目 地理名稱
503 $p			簡述 (Description)		劃一習用標目 卷數
503 $v			簡述 (Description)		劃一習用標目 冊次號
510			*		
512 $a+$e			題名(Title)		封面題名
512 $h			*		
512 $i			*		
512 $j			*		
512 $n			簡述 (Description)		封面題名說明
512 $p			*		
512 $r			題名(Title)	羅馬拼音	封面題名
512 $z			[4]		
513 $a+$e			題名(Title)		附加書名頁題 名
513 $h			*		
513 $i			*		
513 $j			*		
513 $n			簡述 (Description)		附加書名頁題 名說明

513 $p			*		
513 $r			題名(Title)	羅馬拼音	附加書名頁題名
513 $z			4		
514 $a+$e			題名(Title)		卷端題名
514 $h			*		
514 $i			*		
514 $j			*		
514 $n			簡述(Description)		卷端題名說明
514 $p			*		
514 $r			題名(Title)	羅馬拼音	卷端題名
514 $z			4		
515 $a+$e			題名(Title)		逐頁題名
515 $h			*		
515 $i			*		
515 $j			*		
515 $n			簡述(Description)		逐頁題名說明
515 $p			*		
515 $r			題名(Title)	羅馬拼音	逐頁題名
515 $z			4		
516 $a+$e			題名(Title)		書背題名
516 $h			*		
516 $i			*		
516 $j			*		
516 $n			簡述(Description)		書背題名說明

516 $p		*		
516 $r		題名(Title)	羅馬拼音	書背題名
516 $z		4		
517 $a+$e		題名(Title)		其他題名
517 $h		*		
517 $i		*		
517 $j		*		
517 $n		簡述 (Description)		其他題名說明
517 $p		*		
517 $r		題名(Title)	羅馬拼音	其他題名
517 $z		4		
520 $a+$e		簡述 (Description)		連續性出版品 舊題名
520 $h		*		
520 $i		*		
520 $j		*		
520 $n		*		
520 $x		*		
520 $z		4		
520 $r		*		
530 $a+$b	1-1	題名(Title)	ISDS	識別題名
530 $j		*		
531 $a+$b		題名(Title)	ISDS	簡略題名
532 $a		題名(Title)		完整題名
532 $r		題名(Title)	羅馬拼音	完整題名
532 $z		4		

540 $a			題名(Title)		編目員附加題名
540 $z			⁴		
540 $r			題名(Title)	羅馬拼音	編目員附加題名
541 $a+$e			題名(Title)		編目員翻譯題名
541 $h			*		
541 $i			*		
541 $j			*		
541 $n			簡述(Description)		編目員翻譯題名
541 $p			*		
541 $r			題名(Title)	羅馬拼音	編目員翻譯題名
541 $z			⁴		

¹ 請參閱本節簡略著錄（圖書）著錄項目對照表前的說明

² 相當於 DC5 使用的 Scheme Qualifier

³ 相當於 DC5 使用的 Subelement Qualifier

⁴ 據以設定都柏林核心集的語言修飾詞

* 代表省略欄位

6__主題分析段

表 A-7. 中國機讀編目格式（第三版）6__主題分析段欄號的對照表

中國機讀編目格式			都柏林核心集		
				修飾詞 [1]	
欄位	位址	指標	欄位	Encoding Scheme Qualifier [2]	Element Refinement Qualifier [3]
600 $a+$b +$c+$d+$f +$g+$s+$x +$y+$z			主題和關鍵詞 (Subject)	{$2}	
600 $3			簡述 (Description)		權威記錄號碼
601 $a+$b +$c+$d+$e +$f+$g+$s +$x+$y+$z +$h			主題和關鍵詞 (Subject)	{$2}	
601 $3			簡述 (Description)		權威記錄號碼
602 $a+$f +$x+$y+$z			主題和關鍵詞 (Subject)	{$2}	
602 $3			簡述 (Description)		權威記錄號碼
604 605			關連(Relation) *		人名/題名

606 $a+$x			主題和關鍵詞 (Subject)	{$2}	
606 $y			涵蓋時空 (Coverage)	{$2}	地理名稱
606 $z			涵蓋時空 (Coverage)	{$2}	時期名稱
606 $3			簡述 (Description)		權威記錄號碼
607 $a			涵蓋時空 (Coverage)	{$2}	地理名稱
607 $a+$x			主題和關鍵詞 (Subject)	{$2}	
607 $y			涵蓋時空 (Coverage)	{$2}	地理名稱
607 $z			涵蓋時空 (Coverage)	{$2}	時期名稱
607 $3			簡述 (Description)		權威記錄號碼
608 $a		1-0	簡述 (Description)		版本類型
608 $a		1-1	出版者 (Publisher)		刻書地
608 $a		1-2	出版者 (Publisher)		刻書者
608 $a		1-3	其他參與者 (Contributor)		刻工
608 $a		1-4	出版日期 (Date)		刻書年

608 $a		1-5	簡述 (Description)		裝訂形式
608 $a		1-6	簡述 (Description)		藏印者
608 $x			簡述 (Description)		
608 $3			簡述 (Description)		權威記錄號碼
610 $a			主題和關鍵詞 (Subject)		
620 $a+$b +$c+$d			出版者 (Publisher)		出版地
626 $a			資料格式 (Format)		CPU 或電腦機型
626 $b			資料格式 (Format)		程式語言
626 $c			資料格式 (Format)		作業系統
660 $a			涵蓋時空 (Coverage)	LC	地理名稱
661 $a			涵蓋時空 (Coverage)	LC	時期名稱
670 $b+$c +$e			簡述 (Description)⁴		PRECIS
670 $z					
675 $a			主題和關鍵詞 (Subject)	國際十進分類號(UDC)	

675 $v+$z			簡述 (Description)		國際十進分類 號(UDC)版本
676 $a			主題和關鍵詞 (Subject)	杜威十進分類 號(DDC)	
676 $v			簡述 (Description)		杜威十進分類 號(DDC)版本
680 $a+$b			主題和關鍵詞 (Subject)	美國國會圖書 館分類號 (LCC)	
681 $a+$b			主題和關鍵詞 (Subject)	中國圖書分類 號(CCL)	
681 $v			簡述 (Description)		中國圖書分類 號(CCL)版本
682 $a+$b			主題和關鍵詞 (Subject)	農業資料中心 分類號	
686 $a+$b			主題和關鍵詞 (Subject)	美國國立醫學 圖書館分類號 (NLM)	
687 $a+$b +$c			主題和關鍵詞 (Subject)	{$d}	

[1] 請參閱本節簡略著錄（圖書）著錄項目對照表前的說明

[2] 相當於 DC5 使用的 Scheme Qualifier

[3] 相當於 DC5 使用的 Subelement Qualifier

[4] 據以設定都柏林核心集的語言修飾詞

* 代表省略欄位

7__著者段

表 A-8. 中國機讀編目格式（第三版）7__著者段欄號的對照表

中國機讀編目格式			都柏林核心集		
				修飾詞 [1]	
欄位	位址	指標	欄位	Encoding Scheme Qualifier [2]	Element Refinement Qualifier [3]
700 $a+$b +$c+$d+$f +$g+$s			著者(Creator)		{$4}
700 $3			簡述 (Description)		權威記錄號碼
701 $a+$b +$c+$d+$f +$g+$s			著者(Creator)		{$4}
701 $3			簡述 (Description)		權威記錄號碼
702 $a+$b +$c+$d+$f +$g+$s			其他參與者 (Contributor)		{$4}
702 $t			題名(Title)		
702 $a+$t			簡述 (Description)		
702 $3			簡述 (Description)		權威記錄號碼

710 $a+$b +$c+$d+$e +$f+$g+$h +$s			著者(Creator)		{$4}
710 $3			簡述 (Description)		權威記錄號碼
711 $a+$b +$c+$d+$e +$f+$g+$h +$s			著者(Creator)		{$4}
711 $3			簡述 (Description)		權威記錄號碼
712 $a+$b +$c+$d+$e +$f+$g+$h +$s			其他參與者 (Contributor)		{$4}
712 $t			題名(Title)		
712 $a÷$t			簡述 (Description)		
712 $3			簡述 (Description)		權威記錄號碼
720 $a+$f			著者(Creator)		{$4}
720 $3			簡述 (Description)		權威記錄號碼
721 $a+$f			著者(Creator)		{$4}
721 $3			簡述 (Description)		權威記錄號碼

722 $a+$f		其他參與者 (Contributor)		{$4}
722 $3		簡述 (Description)		權威記錄號碼
770 $a+$b +$c+$d+$f +$g		著者(Creator)		{$4}
770 $3		簡述 (Description)		權威記錄號碼
771 $a+$b +$c+$d+$f +$g		著者(Creator)		{$4}
771 $3		簡述 (Description)		權威記錄號碼
772 $a+$b +$c+$d+$f +$g		其他參與者 (Contributor)		{$4}
772 $3		簡述 (Description)		權威記錄號碼
780 $a+$b +$c+$d+$e +$f+$g+$h		著者(Creator)		{$4}
780 $3		簡述 (Description)		權威記錄號碼
781 $a+$b +$c+$d+$e +$f+$g+$h		著者(Creator)		{$4}

781 \$3			簡述 (Description)		權威記錄號碼
782 \$a+\$b +\$c+\$d+\$e +\$f+\$g+\$h			其他參與者 (Contributor)		{\$4}
782 \$3			簡述 (Description)		權威記錄號碼
790 \$a+\$f			著者(Creator)		{\$4}
790 \$3			簡述 (Description)		權威記錄號碼
791 \$a+\$f			著者(Creator)		{\$4}
791 \$3			簡述 (Description)		權威記錄號碼
792 \$a+\$f			其他參與者 (Contributor)		{\$4}
792 \$3			簡述 (Description)		權威記錄號碼

[1] 請參閱本節簡略著錄（圖書）著錄項目對照表前的說明

[2] 相當於 DC5 使用的 Scheme Qualifier

[3] 相當於 DC5 使用的 Subelement Qualifier

[4] 據以設定都柏林核心集的語言修飾詞

* 代表省略欄位

8__國際使用段

表 A-9. 中國機讀編目格式（第三版）8__國際使用段欄號的對照表

中國機讀編目格式				都柏林核心集	
				修飾詞 [1]	
欄位	位址	指標	欄位	Encoding Scheme Qualifier [2]	Element Refinement Qualifier [3]
801 $a+$b		2-0	簡述 (Description)		原始編目單位
801 $c		2-0	簡述 (Description)		原始編目單位處理日期
801 $g		2-0	簡述 (Description)		原始編目單位編目規則代碼
801 $a+$b		2-1	簡述 (Description)		輸入電子計算機單位
801 $c		2-1	簡述 (Description)		輸入電子計算機單位處理日期
801 $g		2-1	簡述 (Description)		輸入電子計算機單位中國機讀編目格式版本
801 $a+$b		2-2	簡述 (Description)		修改記錄單位
801 $c		2-2	簡述 (Description)		修改記錄單位處理日期

801 \$g		2-2	簡述 (Description)		修改記錄單位 編目規則代碼
801 \$a+\$b		2-3	簡述 (Description)		發行記錄單位
801 \$c		2-3	簡述 (Description)		發行記錄單位 處理日期
801 \$g		2-3	簡述 (Description)		發行記錄單位 中國機讀編目 格式版本
802			*		
805 \$c			資源識別代號 (Identifier)	{\$a+\$b}	登錄號
805 \$p+\$d +\$e+\$y			資源識別代號 (Identifier)	{\$a+\$b}	索書號
805 \$t+\$v			簡述 (Description)		分類系統
805 \$f			*		
805 \$g			*		
805 \$a+\$b +\$m			簡述 (Description)		館藏缺期
805 \$n			簡述 (Description)		館藏記錄附註

[1] 請參閱本節簡略著錄（圖書）著錄項目對照表前的說明

[2] 相當於 DC5 使用的 Scheme Qualifier

[3] 相當於 DC5 使用的 Subelement Qualifier

* 代表省略欄位

參考書目

中文部分

Date, C. J.編著。《資料庫系統概論》（*An Introduction to Database Systems*）。黃加佩譯。臺北市：儒林，1997 年 3 月。

中國視聽教育學會編。《視聽資料機讀編目手冊》。臺北市：文建會，民 84。

中國圖書館學會分類編目委員會。《中國編目規則》。臺北市：圖書館學會，民國 84 年。

中國圖書館學會出版委員會編。《圖書館學》。臺北市：學生書局，民 63 年 3 月。

中國機讀權威記錄格式修訂小組。《中國機讀權威記錄格式》。臺北市：國家圖書館，民國 83 年。

王梅玲。〈大學圖書館技術服務的組織重整〉。《大學圖書館》1 卷 2 期（民 86 年 4 月），頁 29-52。

何光國。《圖書資訊組織原理》。臺北市：三民書局，民 79 年 6 月。

吳明德。〈大學圖書館員角色的省思〉。《大學圖書館》1 卷 1 期（民 86 年 1 月），頁 5-18。

吳政叡。〈三個元資料格式的比較分析〉。《中國圖書館學會會報》

57 期（民 85 年 12 月），頁 35-45。

吳政叡。〈元資料實驗系統和都柏林核心集的發展趨勢〉。《國立中
　　央圖書館臺灣分館館刊》4 卷 2 期（民 86 年 6 月），頁 12。

吳政叡。〈從元資料看未來資料著錄的發展趨勢〉。《資訊傳播與圖
　　書館學》4 卷 2 期（民 86 年 12 月），頁 42-52。

吳政叡。〈從都柏林核心集看中國編目規則的地圖資料著錄〉。《書
　　宛》40 期（民 88 年 4 月），頁 40-55。

吳政叡。〈從都柏林核心集看中國編目規則的連續性出版品著錄〉。
　　《國家圖書館館刊》民國 88 年 1 期（民 88 年 6 月），頁 111-
　　122。

吳政叡。〈從都柏林核心集看中國編目規則的善本圖書著錄〉。《國立
　　中央圖書館臺灣分館館刊》6 卷 1 期（民 88 年 9 月），頁 49-61。

吳政叡。〈從都柏林核心集看中國編目規則的錄音資料著錄〉。《圖
　　書館學刊》28 期（民 88 年 6 月），頁 8-22。

吳政叡。〈從都柏林核心集看未來資料描述格式的發展趨勢〉。《圖
　　書館學刊》26 期（民 86 年 6 月），頁 11-18。

吳政叡。〈梵諦岡地區的中文聯合館藏系統（UCS）〉。《中國圖書
　　館學會會訊》113 期（民 88 年 6 月），頁 19-20。

吳政叡。《都柏林核心集在 UNIMARC 和機讀權威記錄格式的應用探
　　討》。臺北市：學生書局，民 88 年 10 月。

吳政叡。《機讀編目格式在都柏林核心集的應用探討》。臺北市：學
　　生書局，民 87 年 12 月。

吳瑠璃、江綉瑛。《中文圖書編目手冊》。臺北市：漢美，民 82 年 6
　　月。

倪寶坤。《圖書館編目學》。臺北市：臺灣中華書局，民 60 年 5 月。

許元、許忠。《資訊系統：分析、設計與製作》。臺北市：松崗，民
　　88 年。

陳亞寧。《從編目作業探討網路資源的整理》。臺北市：文華，民國
　　84 年七月。

陳昭珍。〈從使用者需求與文獻特性看圖書館界資訊組織模式發展趨
　　勢〉。《大學圖書館》2 卷 3 期（民 87 年 7 月），頁 105-115。

陳昭珍。〈電子資訊的組織模式〉。《圖書館學刊》12 期（民 86 年
　　12 月），頁 163-164。

陳雪華、陳昭珍、陳光華。〈數位圖書館/博物館中詮釋資料之理論與
　　實作〉。《圖書館學刊》13 期（民 87 年 12 月），頁 45-46。

黃淵泉。《中文圖書分類編目學》。臺北市：學生書局，民 85 年 4
　　月）。

熊逸民。《中文圖書分類編目實務》。再版。臺北市：熊逸民發行，
　　民 71 年 5 月）。

劉春銀、陳亞寧。〈書目資料庫之權威控制系統規劃（上）〉。《計
　　算中心通訊》11 卷 6 期（民 84 年 3 月），頁 51-54。

蔡燕青。〈談線上編目〉。《國立中央圖書館臺灣分館館刊》3 卷 4
　　期（民 86 年 6 月），頁 66-73。

英文部分

"Application Profile for the Government Information Locator Service
　　(Gils) : version 2." 1997. <http://www.gils.net/prof_v2.html>.

Beekman, G. *Computer Confluence: Exploring Tomorrow's Technology.* Menlo park, California: Benjamin/Cummings Publishing Company, Inc., 1997.

Berners-Lee, T., L. Masinter, and M. McCahill. "Uniform Resource Locators (URL)." 1994. <ftp://ftp.ccu.edu.tw/pub3/gopher.apnic.net/internet/rfc/1700/rfc1738.txt>.

Bray, T., J. Paoli, and C. M. Sperberg-McQueen. "Extensible Markup Language (XML) 1.0." 10 Feb. 1998. <http://www.w3.org/TR/REC-xml>.

Chan, L. M. *Cataloging and Classification: An Introduction.* New York, NY: McGraw-Hill, 1994.

Dempsey, L. and R. Heery. "An Overview of Resource Description Issues." March 1997. <http://www.ukoln.ac.uk/metadata/DESIRE/overview/rev_01.htm>.

"Dublin Core Qualifiers." 1 July 2000. <http://purl.org/dc/documents/rec/dcmes-qualifiers-20000711.htm>.

Gorman, M. *Technical Services Today and Tomorrow.* Englewood, CO: Libraries Unlimited, 1990.

Hillman, D. "User Guide Working Draft." 31 July 1998. <http://purl.org/dc/core/documents/working_drafts/wd-guide-current.htm>.

Hillman, D. "User Guide Working Draft." 31 July 1998. <http://purl.org/dc/core/documents/working_drafts/wd-guide-current.htm>.

Hillmann, D. "A User Guide for Simple Dublin Core." 31 July 1998. <http://purl.org/dc/core/documents/working_drafts/wd-guide-

current.htm>.

Hunter, E. J. and K.G.B. Bakewell. *Cataloging*. London: Library
Association Publishing, 1991.

ISBD Review CommitteeWorking Group. *ISBD(G): General International
Standard Bibliographic Description*. rev. ed. Vol. 6. *UBCIM
Publications-New Series*. London: IFLA, 1992.

Joint Steering Committee for Revision of AACR. *Anglo-American
Cataliguing Rules*. Chicago, IL: American Library Association, 1988.

Lambrecht, Jay H. *Minimal Level Cataloging by National Bibliographic
Agencies*. rev. ed. Vol. 8. *UBCIM Publications-New Series*. London:
IFLA, 1992.

Lassila, O. and R. R. Swick. "Resource Description Framework (RDF)
Model and Syntax Specification." 22 Feb. 1999. <http://www.w3.org/
TR/1999/REC-rdf-syntax-19990222>.

Miller, E., P. Miller and D. Brickley. "Guidance on expressing the Dublin
Core within the Resource Description Framework (RDF)." 1 July 1999.
<http://www.ukoln.ac.uk/metadata/resources/dc/datamodel/WD-dc-
rdf/WD-dc-rdf-19990701.html>.

Shay, W. A. *Understanding Data Communications and Networks*. Boston,
MA: PWS Publishing Company, 1995.

Shelley, E.P. and B.D. Johnson. "Metadata: Concepts and Models." in
*Proceedings of the Third National Conference on the Management of
Geoscience Information and Data*. Adelaide, Australia: Australian
Mineral Foundation, 1995.

Shelly, G. B. et. al. *Discovering Computers 98: A Link to the Future.* Cambridge, Massachusetts: International Thomson Publishing, 1998.

Shelly, G. B. et.al. *Discovering Computers 98: A Link to the Future.* International Thomson Publishing: cambridge, Massachusetts, 1998.

Shelly, G.B., T.J. Cashman, and H.J. Rosenblatt. *Systems analysis and design.* Cambridge, Massachusetts: International Thomson Publishing, 1998.

Tanenbaum, A. S. *Computer Networks.* Upper Saddle River, NJ: Prentice-Hall, 1996.

Tsai, A. *Database Systems: management and use.* Scarborough, Ontario: Prentice-Hall canada Inc., 1988.

Weibel, S. et. al., "Dublin Core Metadata for Resource Discovery, Version 1.1." *Internet RFC 2413.* Sept. 1998. <http://info.internet.isi.edu/in-notes/rfc/files/rfc2413.txt>.

Weibel, S., R. Iannella, and W. Cathro, "The 4th Dublin Core Metadata Workshop Report," June 1997, <http://www.dlib.org/dlib/june97/metadata/06weibel.html>, p. 3.

中文索引

英文索引

國家圖書館出版品預行編目資料

都柏林核心集與圖書著錄

吳政叡著. – 初版. – 臺北市：臺灣學生，2000 [民 89]
面；公分
參考書目：面
含索引

ISBN 957-15-1051-3 (精裝)
ISBN 957-15-1052-1 (平裝)

1.機讀編目–中國語言 2.元資料 3.資料描述格式 4.電子資料處理

023.415   89018031

都柏林核心集與圖書著錄

著　作　者：吳　　　　政　　　　叡
出　版　者：臺　灣　學　生　書　局
發　行　人：孫　　　善　　　治
發　行　所：臺　灣　學　生　書　局
　　　　　　臺北市和平東路一段一九八號
　　　　　　郵政劃撥帳號00024668號
　　　　　　電　話　：(02)23634156
　　　　　　傳　真　：(02)23636334
本書局登
記證字號：行政院新聞局局版北市業字第玖捌壹號
印　刷　所：宏　輝　彩　色　印　刷　公　司
　　　　　　中和市永和路三六三巷四二號
　　　　　　電　話：(02)22268853

定價：精裝新臺幣三〇〇元
　　　平裝新臺幣二二〇元

西 元 二 〇 〇 〇 年 十 二 月 初 版

02327

臺灣 學生書局 出版

新圖書館學叢書